D0261231

Het Dukan Dieet – recepten

Van dezelfde auteur:

Het Dukan Dieet

Voor meer informatie: www.hetdukandieet.nl

DR. PIERRE DUKAN

Het Dukan Dieet

Recepten

De Franse oplossing voor
permanent gewichtsverlies

Karakter Uitgevers B.V.

Oorspronkelijke titel: *Les recettes Dukan*

Derde druk, 2010

Vertaling: Ingrid Buthod-Girard/Vitataal
Redactie en productie: Vitataal, Feerwerd
Opmaak: Erik Richèl, Winsum
Omslagontwerp: Mariska Cock
Omslagillustratie: Shutterstock

ISBN 978 90 6112 899 1
NUR 443

De diëten en de informatie in dit boek zijn bedoeld ter informatie en niet ter vervanging van het persoonlijke advies van een arts of diëtist. Raadpleeg uw huisarts voordat u begint met afvallen.

Inhoud

Om mijn dieet ook het jouwe te maken

Op het moment dat ik mijn uitgever het manuscript overhandigde van mijn boek *Het Dukan Dieet*, dacht ik dat ik de allerlaatste hand had gelegd aan mijn levenswerk, dat ik mezelf, mijn patiënten en mijn toekomstige lezers een in de loop van dertig jaar praktijkervaring ontwikkelde methode had gegeven om te vechten tegen overgewicht.

Mijn debuut op dieetgebied was een vernieuwing waarmee ik destijds mijn collega's tegen me in het harnas jaagde, want zij waren initiatiefnemers en adepten van caloriearm eten, oftewel van afgewogen en minimale porties. Ik kwam daarentegen met een dieet dat gebaseerd was op proteïnen in levensmiddelen.

Jong als ik was, had ik me makkelijk kunnen laten ontmoedigen, ware het niet dat effectiviteit, eenvoud en perfecte aanpassing van dit dieet aan de psychologie van wie graag eet, me in mijn overtuiging sterkten en me motiveerden.

Ik ben vindingrijk, nieuwsgierig en creatief van aard, en heb die eigenschappen ingezet op een terrein dat ik ken en waarin ik goed ben: de relatie van de mens met zijn gewicht. In de loop der jaren heb ik in dagelijks contact met patiënten dit dieet bedacht en steeds verder uitgewerkt. Het was een voortdurend aftasten en uitwisselen van maatregelen waarvan ik alleen behield wat zorgde voor betere resultaten en meer tolerantie op de korte, middellange en lange termijn.

Zo is mijn huidige methode ontstaan, die grote weerklank vond en een enorme verspreiding kende. Via de sympathiebetuigingen van mijn lezers gaf ze mijn leven richting. Ik had nooit kunnen denken, wat ik ook tijdens het schrijven had gehoopt en geambieerd, hoe onwaarschijnlijk groot mijn publiek zou worden, dat het boek vertaald zou worden in verre landen als Korea, Thailand of Bulgarije.

De verspreiding van dit werk is niet het gevolg van media-interesse en al helemaal niet van een grootse pr-campagne.

Vreemd genoeg heeft het boek zichzelf verkocht, is het van hand tot hand gegaan, van forum tot forum en sinds kort van arts tot arts.

Daaruit heb ik geconcludeerd dat het onbedoeld een mooi element bevatte: naast de zuiver voedingstechnische werking liet het mijn betrokkenheid als therapeut doorschemeren, met al mijn empathie, energie en medeleven.

Sinds de eerste editie heb ik heel veel post gekregen, vellen vol bereikte resultaten, woorden van sympathie en dankbaarheid, maar ook brieven met kritiek en tot slot met constructieve suggesties. In de laatste kreeg ik het verzoek om aan mijn methode een extra deel toe te voegen over lichaamsbeweging en een nieuwe bundel recepten. Dit boek is geschreven om aan die tweede vraag tegemoet te komen en meteen daarna zal ik me op het eerste verzoek richten.

In dit boek gewijd aan recepten volgens de regels van het Dukan Dieet heb ik gebruikgemaakt van de inventiviteit en de inzet van alle mannen en vrouwen die mijn dieet volgen en mijn recepten hebben aangevuld en verbeterd. Ik kan in dit boek niet alle auteurs van deze recepten noemen, maar waar ik kon, heb ik een recept de titel gegeven die de laatste culinaire bewerker voorstelde.

Wie niet bekend is met het Dukan Dieet moet weten dat mijn methode integraal berust op twee grote groepen levensmiddelen:

- producten rijk aan dierlijke eiwitten
- groenten

Deze twee categorieën vormen voor mij het natuurlijke fundament voor de voeding van de mens. Het bewijs daarvan is voor mij dat ze aan de wieg van de mensheid stonden, zo'n 50.000 jaar geleden.

Aan de geboorte van een ras gaat een lang proces vooraf waarin de omgeving het verwekte kind beïnvloedt en omgekeerd: een ontmoeting tussen een genetische code op zoek naar zichzelf en een omgeving bereid om die op te nemen.

Een soort kan niet binnen een bepaald gebied ontstaan en overleven als die ruimte niet precies biedt wat die soort nodig heeft. Als er één moment bepalend was in onze geschiedenis, waarop onze spijsvertering en het beschikbare voedsel perfect op elkaar afgestemd waren, was het toen wij op aarde verschenen.

Dat feit is allesbehalve een detail, het staat centraal in mijn benadering van het onderzoek naar handvatten op het gebied van onze voeding. Tot nu toe overheerst op dit front het geloof in ons grenzeloze aanpassingsvermogen en onze status als omnivoor.

Dat geloof is echter niet terecht. Als ik zeg dat bepaalde voedingsstoffen geschikter voor de mens, fundamenteler zijn dan andere, zeg ik dat niet vanuit de wens om terug te keren naar een eerder tijdperk of bestaan, maar vanuit een pragmatisme dat de aanleg van onze soort erkent.

Bij het ontstaan van zijn soort was de mens qua bouw en instinctieve voorkeuren toegerust voor de jacht en visvangst, dus het achtervolgen van wild op het land en in het water. Vrouwen specialiseerden zich in het verzamelen van vooral plantaardig voedsel.

Vanuit deze beginsituatie kregen vlees, vis en planten weldra een essentiële status, te weten het meest specifieke, menselijke, edele, compacte en voor ons geschikte eten in termen van voedingswaarde, maar ook, en dat is veel interessanter voor het beheersen van het gewicht, in termen van de positieve en emotionele ervaring die we hebben als we het in onze mond stoppen.

Bovendien ontwikkelen de mens en deze levensmiddelen zich sinds 50.000 jaar zij aan zij en zijn hun paden steeds nauwer met elkaar verweven geraakt.

De mens is duidelijk niet meer wat hij toen was. Hij is geen jager-verzamelaar meer, is sedentair geworden, is gewassen gaan telen, dieren gaan fokken, heeft beschavingen opgebouwd en heeft zijn omgeving aan zich onderworpen – de levensmiddelen incluis, waarvan de genotswaarde intussen zwaarder telt dan de voedingswaarde.

Omwille van dat genot heeft de mens een nieuw soort voeding gecreëerd, het tegendeel van waarvoor hij gebouwd is. Het is een verleidelijke, rijke, luxueuze, zintuiglijke, belonende, affectieve en emotionele voeding, waaraan hij verslaafd is geraakt maar waarbij hij echter moeilijk slank blijft. En dat is het probleem waarmee veel mensen tegenwoordig kampen.

In ons huidige voedsel hebben twee voedingsstoffen – vetten en suikers: bestanddelen van producten die van oudsher gelden als zeldzame luxe – de laatste vijftig jaar een overweldigende opmars gemaakt. Producten met een hoog vet- of suikergehalte, waarvan de supermarkten tegenwoordig uitpuilen, zijn per definitie etenswaren met een hoge troostwaarde, maar deze producten bestonden nog niet in de tijd dat ons lichaam en vooral onze hersenen gevormd werden. Niemand at vet, want de dieren die men ving, waren mager. Niemand at suiker, want sacharose moest nog uitgevonden worden. Zelfs de zonnekoning in de ongekende luxe van Versailles proefde nooit andere zoetigheid dan honing en vruchten.

Ik pleit niet voor een terugkeer naar de sobere voeding van de holenmens, maar ik wil je wel doen inzien dat afslanken door middel van eiwitten en groenten geen gevaar vormt voor wie zich er tijdens zijn dieet toe moet beperken.

Ik weet dat de meeste diëtisten pleiten voor de toevoeging van zetmeelproducten, granen, suikers en goede vetten in de voeding, en ben ook zelf overtuigd van het nut van deze toevoeging, maar niet tijdens de vermageringsfase. In de dertig jaar dat ik vecht aan de zijde van mijn patiënten, ben ik tot de overtuiging gekomen dat een uitgebalanceerd dieet totaal ongeschikt is om te kunnen afvallen. Wie meent dat je kunt afvallen door balans en de optimale verhoudingen van voedingsmiddelen te bewaren, ontkent de psyche en de problematiek van iedereen die problemen heeft met zijn gewicht.

Een vermageringsdieet volgen is oorlog voeren. En als je echt wilt winnen, moet die oorlog leiden tot een duurzame vrede. Je kunt geen gevecht voeren zonder inspanning of logica. Als we zouden kunnen afvallen door van alles weinig te eten, op uitgebalanceerde wijze, zou iedereen al slank zijn. We kunnen de eetgewoonten van de mens niet begrijpen op basis van thermodynamische wetten alleen. De energetische verklaring van overgewicht – van te veel eten en weinig bewegen kom je aan – klopt, maar verklaart alleen het hoe en niet het waarom.

Wie dit leest en niet tevreden is met zijn gewicht – ontevreden genoeg om zich er druk over te maken – eet waarschijnlijk met een ander doel dan om zich te voeden. Ik ken mijn lezers niet persoonlijk, maar ik durf hier wel te beweren dat we het deel van onze voeding waardoor we aankomen niet eten uit honger. Het is het extraatje dat we in de mond stoppen uit behoefte aan genot en om stress aan te kunnen. En die behoefte aan genot, dat verlangen dat zeer dwingend is en dat ons problemen met ons gewicht bezorgt – die we niet willen, waaronder we lijden en waarover we ons schuldig voelen – is de rode draad en de werkelijke verklaring van problemen met de slanke lijn.

De dagelijkse consulten, verhalen van patiënten, hun ervaringen die ik zorgvuldig bijhoud, hebben me in de loop der jaren van één ding overtuigd: als er zo'n grote onbewuste drang is naar genot, sterk genoeg om het gezonde verstand terzijde te schuiven en een schuldgevoel op de koop toe te nemen, moet er tijdelijk of langdurig gebrek zijn aan andere vormen van genot en manieren om tot bloei te komen.

Meestal komt de klik – waardoor we in actie komen en de energie vinden om ten strijde te trekken tegen extra kilo's en af te zien van de prettige compensaties die deze kilo's veroorzaakt hebben – met het begrip dat er andere bronnen van plezier te vinden zijn op andere terreinen in het leven, die op ons wachten, de belofte van iets goeds, van betere tijden.

Op die gunstige momenten, teer en onzeker, zijn we wel bereid om ervoor te gaan op voorwaarde dat het effect heeft, dat we tastbare resultaten behalen, zichtbaar en met voldoende effect om die hoop en motivatie te versterken die bij stagnatie of mislukking al heel snel zullen verdwijnen. We willen een effectief dieet, dat snel resultaat afwerpt.

Vanuit die optiek heb ik voor effectiviteit gekozen, met behoud van mijn ethiek als arts die het welzijn van mijn patiënt op de lange termijn belangrijk vindt, en voor duurzaamheid van het bereikte resultaat, de definitieve stabilisatie van het balansgewicht.

Ik ben lang van mening geweest dat de keus voor effectiviteit tijdelijk elke vorm van gastronomie en culinair genot uitsloot, maar onderschatte de vindingrijkheid en de eindeloze creativiteit van mijn patiënten en lezers. Deze bleken sterk gemotiveerd en werkten gedreven aan vernieuwing binnen mijn strak omlijnde en gestructureerde kader: dat van eiwitten en groenten zonder enige beperking qua hoeveelheid.

Zo heb ik in vijf jaar duizenden recepten gekregen op basis van de twee groepen levensmiddelen en de regels voor bereiding, combinatie en afwisseling. Ik was verbluft te zien hoe graag mannen en vrouwen die een recept hadden gevonden waarvan ze genoten, dat wilden delen.

Op een ochtend in 2005 belde een van mijn lezers me op. Hij wilde me laten weten dat hij per toeval mijn boek op een station had gekocht. Hij had zich aan de regels gehouden en was op eigen kracht ruim dertig kilo afgevallen in zes à zeven maanden.

'Ik zit mijn hele leven al in de horeca. Ik vind koken net zo leuk als het eten van mijn gerechten. Zo ben ik in de loop der jaren heel dik geworden. Uw plan boeide me, omdat ik erg van vlees en vis houd en vooral een grote eter ben, en uw boek begint met het woord "onbeperkt".

Ik heb al mijn talent en mijn kennis aangewend om aan uw honderd volledig toegestane producten en aan de talrijke recepten uit uw boek, de glans en de allure van de haute cuisine te geven. Ik heb zes maanden lang genoten en ben afgevallen zonder echt te lijden.

Om u te bedanken zal ik u mijn recepten sturen afkomstig uit uw repertoire, maar aangepast aan mijn smaak op basis van uw spelregels, zodat u uw patiënten of lezers die geen tijd of inspiratie hebben ervan kunt laten profiteren.'

Het toeval wilde dat dit telefoontje, van onschatbare waarde voor het loflied op de slanke lijn, ook doordrong tot mijn persoonlijke omgeving. Mijn zoon Sacha, student voedingskunde, las de recepten en zette in samenwerking met deze gerenommeerde chef-kok een kookstudio op en ontwikkelde een reeks gerechten voor de slanke lijn, bij mijn weten de enige in Europa zonder toevoeging van vet, suiker of meel.

Deze recepten vind je in dit boek tussen vele andere, minder professionele maar even creatieve van vrouwen die zich uiten op de diverse forums en samenwerken aan het gemeenschappelijke project om af te slanken met het Dukan Dieet. Ik maak van de gelegenheid gebruik om uit het diepst van mijn hart de gebruikers van deze grote forums te danken die me hebben geholpen door me hun recepten toe te sturen. Ze zijn met te veel om ze allemaal persoonlijk te noemen.

Ik heb de recepten in dit boek ingedeeld volgens de structuur van het Dukan Dieet, dat uit vier fasen bestaat. De twee eerste daarvan, de aanvalsfase en de cruisefase, dienen om af te vallen in de directe zin. De twee volgende, de stabilisatie- en de volhardingsfase, dienen om het gewenste en bereikte gewicht te behouden.

In de twee eerste fasen spelen de recepten een cruciale rol. Ze zorgen voor genot, smaak, massa, verzadiging en variatie. Daarna zijn er zo veel mogelijkheden dat ze nooit allemaal in een kookboek zouden passen. Maar ook daarover is het laatste woord nog niet gezegd en er zal een receptenboek komen voor de stabilisatiefase. Wacht maar af!

In dit boek vind je dus ten eerste recepten op basis van zogenaamd zuivere eiwitten, bereid met alleen producten met een hoog eiwitgehalte, en ten tweede recepten waarin eiwitten en groenten gecombineerd worden.

Voor de lunch kun je in principe alles eten wat ook geschikt is voor de avondmaaltijd, maar houd wel een kleinere hoeveelheid aan en kijk zelf wat je makkelijk vindt om van tevoren te bereiden en mee te nemen. Van bijvoorbeeld hartige taarten, terrines, gehaktbrood, salades en soepen kun je de dag ervoor of in het weekend gemakkelijk wat meer bereiden en in porties voor de lunch verdelen en vervolgens invriezen en meenemen als je niet thuis luncht.

De recepten in dit boek zijn gecomponeerd op basis van de 100 producten waaruit mijn dieet bestaat, zonder beperkingen qua hoeveelheid, tijdstip en combinatie.

Deze vrijheid kan ik gerust geven, mits er geen enkel ander product wordt toegevoegd gedurende de twee eerste etappes van dit plan waarmee je je streefgewicht moet kunnen bereiken.

Dit zijn de 100 producten die onbeperkt zijn toegestaan in de twee eerste etappes van mijn plan.

72 eiwithoudende producten

- 11 soorten vlees: rundvlees in de vorm van biefstuk, filet, rosbief, tong, tartaar, rookvlees, kalfsoester, -rib, -nier en -lever, en magere gekookte ham van varkensvlees, kip of kalkoen (zonder vet of zwoerd).
- 25 soorten vis: kabeljauw, koolvis, dorade, keizerbaars, zwaardvis, heilbot, gerookte heilbot, gerookte schelvis, tong, forel, schar, zeeduivel, zeewolf, makreel, wijting, harder, rog, rode poon, sardine, zalm, gerookte zalm, schol, surimi, tonijn, tonijn uit blik op eigen sap, tarbot.
- 18 soorten schaal- en schelpdieren: wulken, calamaris, tapijtschelpen, kokkels, coquilles, krab, noordse garnalen, Hollandse garnalen, gamba's, kreeft, oesters, langoustines, rivierkreeftjes, mosselen, zee-egels, inktvis, katvis, zeespin.
- 11 soorten gevogelte: struisvogel, kwartel, haantje, kippenlever, kalkoen, konijn, duif, parelhoen, kip, fazant, patrijs.
- 2 soorten eieren: kippen- en kwarteleieren.
- 6 zuivelproducten: magere yoghurt eventueel gezoet met aspartaam of met fruitaroma, magere kwark, magere hangop, karnemelk, magere melk.

28 soorten groenten

Asperge, aubergine, rode biet, snijbiet, broccoli, wortel, selderij, champignon, alle kool (spruit-, bloem-, -raap, rodekool), palmharten, komkommer, courgette, andijvie, spinazie, venkel, krulsla, sperzieboon, meiraap, ui, waterkers, prei, paprika, pompoen, radijs, alle groene sla, soja, witlof, tomaat.

Eiwitten als motor van mijn dieet

Voor wie mijn dieet niet kent en mijn boek *Het Dukan Dieet* niet heeft gelezen, herhaal ik kort de basisprincipes die eraan ten grondslag liggen en die ervoor zorgen dat het werkt.

Wat houdt mijn dieet in en hoe werkt het?

De spil waarmee mijn reis door de wereld van eten is begonnen en waaromheen ik een groot deel van mijn loopbaan heb gebouwd, zijn eiwitten.

In 1970 lanceerde ik in Frankrijk het eerste dieet dat gebaseerd was op één voedingsstof. Het kostte in het begin de nodige moeite om dit idee acceptabel te maken, omdat het totaal brak met het destijds alles beheersende dogma van een caloriearm dieet. Tegenwoordig heeft het een plek verworven in het arsenaal van wapens tegen overgewicht, maar in mijn ogen verdient het een nog betere plaats: de eerste, zonder twijfel. Deze beperking tot één voedingsstof is de motor van elk echt dieet en wordt enkele dagen gebruikt om de 'raket te lanceren', want een dieet dat niet snel resultaat geeft, is bij voorbaat mislukt.

De heersende theorie – extreem conservatief en blind voor resultaten en statistieken – houdt vast aan een strategie die heeft gezorgd, zorgt en zal zorgen voor elk jaar meer mensen met gewichtsproblemen: het caloriearme dieet, van alles heel weinig.

Gerenommeerde collega's die dit standpunt huldigen, psychiatriseren het debat door te stellen dat beperking ons juist dik maakt. Zij zijn van mening dat diëters in het begin vaak heel snel afvallen, zelfs heel snel voor wie het de eerste keer is, maar vervolgens net zo snel weer aankomen – met het jojo-effect als gevolg. Een dieet zou een geprogrammeerde manier zijn om aan te komen.

Die gevallen zijn er. Ik kom ze soms tegen. Toch zijn ze eerder uitzondering dan regel en vaak het resultaat van onzinnige diëten, zoals het soepdieet en het Beverly Hillsdieet, van langdurige en frustrerende caloriearme diëten of zogenoemde poederdiëten. Die laatste doen ons dubbel geweld aan: onze stofwisseling door het gebruik van een voor 98% zuivere voedingsstof en ons eetgedrag door een voeding die beperkt blijft tot industrieel poeder.

De gemeenschappelijke factor in deze tot terugval gedoemde diëten is het totale gebrek aan stabilisatie. Aan de ene kant denkt de hulpverlening zich te kunnen beperken tot tips als 'pas op', 'let op wat je eet', 'eet niet te veel'; aan de andere kant zijn de patiënten, die erin willen geloven, nog zo vol van het feit dat ze zijn afgevallen, dat ze zich buiten gevaar wanen. Natuurlijk zitten ze er allebei naast. Er is een echt bewakingsplan nodig met nauwkeurige, concrete, makkelijk te onthouden regels, vastgelegd in effectieve rituelen; met een progressief verdedigingssysteem dat uit een reeks buffers bestaat, die in de loop van weken en maanden bewijzen dat ze voldoende zijn om het gewicht te beheersen. Alleen een dergelijke totale, goed georganiseerde en trefzekere aanpak kan weerstand bieden aan mislukking en terugval.

De strijd aanbinden tegen bepaalde diëten, oké! Tegen elk willekeurig dieet, nee! Maar van al deze te effectieve, te ingrijpende, te tegennatuurlijke diëten moeten we wel het poederdieet aan banden leggen – het in elk geval alleen op voorschrift van een arts of psychiater toestaan.

Naar aanleiding hiervan wil ik jullie een waargebeurd verhaal vertellen dat jullie vast leuk vinden om te lezen en dat duidelijk zal maken hoe ik denk over industriële eiwitten.

In de winter van 1973 verbond mijn secretaresse een telefoontje door van een man die ik niet kende en die me met een zwaar Scandinavisch accent vertelde dat hij op een station een van mijn boeken had gekocht, had gelezen, en daarna met gemak, zonder veel moeite of honger, heel veel was afgevallen en gewoon had kunnen eten.

'Ik ben op doorreis in Parijs en ik zou u willen ontmoeten om u te bedanken.'

Enkele uren later nam er een soort noordse reus van een jaar of vijftig plaats in mijn spreekkamer.

'Zonder het te weten hebt u mijn leven veranderd en ik wil u daarom een cadeau overhandigen.'

Hij haalde uit zijn tas een indrukwekkend fraaie zalm, die hij op mijn bureau legde.

'Ik bezit vele zalmkwekerijen in Noorwegen en deze vis, een van de mooiste exemplaren uit mijn favoriete fjord, is voor u gevangen en op traditionele wijze gerookt boven hout uit het bos.'

Ik ben dol op zalm en ik bedankte hem dan ook hartelijk.

'O, maar dit is nog niets, een knipoog uit mijn bossen. Het echte cadeau is dit.'

En hij toverde uit zijn tas een rond aluminium blik tevoorschijn ter grootte van een hoedendoos en zonder enige zichtbare etikettering.

'Weet u wat er in dit blik zit, dokter?'

'?'

'Een fortuin!'

Hij haalde het deksel van zijn doos en liet me een massa wit poeder zien.

'Ik zal het uitleggen. Ik beheer een groot aantal zuivelbedrijven in Nederland. We maken boter, maar we weten niet meer wat we met de karnemelk moeten doen. Dit voornaamste bijproduct gaat naar de varkens. Weet u wat er in deze karnemelk zit? Oplosbare melkglobuline: eiwitten in hun zuivere vorm! Ik stel voor u tonnen eiwitten in poedervorm ter beschikking te stellen, die in zakjes als vermageringsmiddel kunnen dienen.'

Deze industrieel had een vooruitziende blik. Tien jaar later zouden eiwitten in poedervorm het meest verkochte afslankproduct ter wereld worden.

'Ontzettend bedankt voor uw zalm. Ik zal aan u en uw fjorden denken tijdens het smullen van de zalm. Maar ik heb geen interesse voor het blik of zijn inhoud. Ik wil mijn eiwitten niet op deze manier aan de man brengen. Uw eerste cadeau, en misschien weet u het zelf niet eens, uw zo bijzondere zalm is ook een ophoping van eiwitten. Zozeer als ik van zalm houd en me er in gedachten al op verheug hem aan mijn gezin te laten zien en hem met smaak te verorberen, zozeer wijs ik het af hem te consumeren in de vorm van poeder. En waarom zou ik wat ik voor mezelf niet wil proberen voor te schrijven aan mijn patiënten en de mensen die me vertrouwen?'

Dan gaan we nu terug naar mijn eiwitdieet in zijn huidige vorm.

Het plan bestaat uit vier opeenvolgende diëten die op elkaar aansluiten en ervoor zorgen dat je een streefgewicht kunt bereiken en behouden.

De vier op elkaar aansluitende en steeds minder strenge diëten zijn als volgt opgezet:

- het eerste dieet geeft een vliegende start en zorgt voor een flink en motiverend gewichtsverlies;
- het tweede laat je met regelmaat afvallen in een constante lijn tot aan je streefgewicht;
- het derde zorgt ervoor dat het net bereikte en nog niet stabiele gewicht geconsolideerd wordt en duurt tien dagen per afgevallen kilo;
- het vierde vormt een definitieve stabilisatie in ruil voor een dag eiwitdieet per week voor de rest van je leven.

Elk van deze vier diëten werkt op een eigen manier en vervult een specifieke taak, maar alle vier ontlenen ze hun kracht en effectiviteit aan eiwitten, zuiver in de aanvalsfase, afgewisseld met groenten in de cruisefase, uitgebalanceerd in de stabilisatiefase en één keer per week in de volhardingsfase.

Mijn dieet begint met de aanvalsfase waarin je alleen en onvoorwaardelijk eiwitten mag eten om een ongekend verrassingseffect te creëren.

Dan volgt de cruisefase waarin eiwitten afgewisseld met groenten de tweede fase zijn kracht en ritme verlenen en in een constante lijn naar het streefgewicht leiden.

Eiwitten, mits stipt gebruikt, vormen ook de pijler van de stabilisatiefase, een overgangsperiode tussen het zuivere afslanken en de terugkeer naar normale voeding.

En tot slot zorgt een enkele eiwitdag per week gedurende de rest van je leven voor een definitieve stabilisatie van je gewicht, zodat je de zes overige dagen van de week zonder schuldgevoel of speciale beperkingen kunt eten.

Omdat zuivere eiwitten de motor zijn van mijn Dukan Dieet en zijn vier op elkaar afgestemde diëten moeten we nu – voor we het in de praktijk gaan toepassen – hun heel specifieke werking beschrijven, hun indrukwekkende effectiviteit verklaren en vooral de duurzaamheid, de stabilisatie van mijn dieet, zodat we er alles uit kunnen halen wat erin zit.

Hoe werkt het dieet van zuivere eiwitten, waarmee alles begint en dat het fundament vormt voor de drie andere diëten en voor de toekomstige stabilisatie van je gewicht?

Dit dieet mag slechts eiwitten aanreiken

Waar vinden we zuivere eiwitten?

Eiwitten vormen het raamwerk van levende materie, zowel dierlijk als plantaardig, wat betekent dat we ze in de bekendste levensmiddelen vinden. Het eiwitdieet moet – wil zijn specifieke werking optimaal zijn – samengesteld zijn uit producten die zo zuiver mogelijk uit eiwitten bestaan. In de praktijk bezit, afgezien van het wit van een ei, geen enkel product die mate van zuiverheid.

Plantaardige producten, hoeveel eiwitten ze ook bevatten, zijn altijd te rijk aan suikers. Dat geldt voor alle granen, peulvruchten, meel- en zetmeelproducten, inclusief soja, die bekendstaat om de kwaliteit van zijn eiwitten, maar te rijk is aan vet en suikers: deze eigenschap maakt alle plantaardige producten hier onbruikbaar.

Hetzelfde geldt voor producten van dierlijke herkomst, die meer eiwitten bevatten dan plantaardige maar waarvan de meeste te vet zijn.

Daartoe behoren varkens-, schapen- en lamsvlees, bepaalde soorten vet gevogelte, zoals eend en gans, en vele delen van het rund en kalf.

Toch zijn er heel wat producten van hoofdzakelijk dierlijke herkomst die wel over een bepaalde mate van zuiverheid beschikken. Zij spelen dan ook een hoofdrol in het Dukan Dieet.

- Rundvlees, behalve entrecote, ribstuk en alle stukken om te sudderen.
- Kalfsvlees om te grillen.
- Gevogelte, behalve eend en gans.
- Alle vis, ook vis met vet, wat aanvaardbaar is omdat dit vet goed is voor hart en bloedvaten.
- Schaal- en schelpdieren.
- Eieren, waarvan de zuivere proteïnen in het eiwit worden verstoord door een licht vetgehalte in het geel.
- Magere zuivelproducten, die zeer eiwitrijk zijn en totaal geen vet bevatten. Ze bevatten echter wel een geringe hoeveelheid suikers. Het gehalte aan – relatief langzame – suikers is zo laag en de producten zijn zo smakelijk dat ze een plekje verdienen in onze selectie van voornamelijk eiwithoudende producten die de slagkracht van het Dukan Dieet vormen.

De zuiverheid van eiwitten vermindert hun calorieënrendement

Alle diersoorten leven van voedsel dat is samengesteld uit de enige drie voedingsstoffen die we kennen: eiwitten, vetten en suikers. Voor elke soort is er echter een ideale en specifieke verhouding tussen deze drie voedingsstoffen. Bij de mens is dat schematisch weer te geven als 5-3-2, te weten 5 delen suikers op 3 delen vetten en 2 delen eiwitten: wat de samenstelling van moedermelk sterk benadert.

Als de samenstelling van het voedselpakket deze gulden regel respecteert, verloopt de opname van calorieën in de dunne darm met maximale effectiviteit en is het rendement hoog genoeg om gewichtstoename te vergemakkelijken. Het lichaam profiteert er optimaal van.

Omgekeerd hoeven we alleen maar die optimale verhouding te veranderen om het opnemen van calorieën te verstoren en het rendement van levensmiddelen terug te brengen. Theoretisch gezien is de meest radicale verandering die we kunnen bedenken – een die de opname van calorieën het meest zou terugbrengen – de beperking van ons eten tot één voedingsstof.

In de praktijk, ondanks pogingen in de Verenigde Staten met suikers (zoals het Beverly Hillsdieet, dat alleen exotisch fruit toestaat) en met vetten (het Eskimodieet), is dit moeilijk te realiseren. Het is bovendien tamelijk gevaarlijk om alleen suikers of vetten te eten. Een overmaat aan suiker bevordert het ontstaan van diabetes. Een overmaat aan vetten doet hart en bloedvaten dichtslibben.

Bovendien zou het ontbreken van de levensnoodzakelijke eiwitten het lichaam dwingen deze te putten uit zijn spierreserves.

Voeding beperkt tot één voedingsstof is dus alleen denkbaar met eiwitten: een acceptabele oplossing die smakelijk is, vervetting van bloedvaten tegengaat en per definitie elk gebrek aan eiwitten uitsluit.

Als het lukt een eetpatroon aan te houden op basis van producten met een hoog eiwitgehalte, heeft de dunne darm – die tot taak heeft calorieën op te nemen – moeite met de verwerking van levensmiddelen waartoe hij niet is toegerust. Hij kan de calorieën uit eiwitten niet volledig benutten. Hij bevindt zich in de situatie van een tweetaktmotor die werkt op mengsmering, maar die we proberen te laten lopen op zuivere benzine – en die het na het nodige gesputter opgeeft, omdat hij de brandstof niet kan gebruiken.

Wat doet een lichaam onder die omstandigheden? Het pakt wat het nodig heeft – de eiwitten die onmisbaar zijn voor het onderhoud van zijn organen (spieren, bloedlichaampjes, huid, haar, nagels) – en laat de rest van de aangeleverde calorieën ongemoeid voorbijgaan.

De opname van eiwitten is zwaar werk waarvoor veel calorieën verbruikt worden

Om deze tweede eigenschap van eiwitten te begrijpen, die bijdraagt aan de effectiviteit van het Dukan Dieet, moet je bekend zijn met het begrip SDW oftewel de specifiek dynamische werking van voedingsmiddelen. SDW staat voor de inspanning die of het verbruik dat het lichaam moet leveren om zijn eten af te breken tot de grootte van een basisschakel: de enige vorm waarin het wordt toegelaten tot het bloed. Dat vergt een inspanning die afhankelijk van de consistentie en chemische samenstelling van het product varieert.

Als je 100 calorieën tafelsuiker eet, de snelle suiker bij uitstek die bestaat uit simpele en vrij kleine moleculen, zul je die snel opnemen en kost die inspanning je lichaam maar 7 calorieën. Er blijven dan dus 93 bruikbare calorieën over. De SDW van koolhydraten is dus 7 procent.

Als je 100 calorieën boter of olie consumeert, is de opname al wat lastiger en kost het je lichaam 12 calorieën, waardoor het nog 88 calorieën overhoudt, wat de SDW van vetten op 12 procent brengt.

Tot slot is de optelsom om 100 calorieën uit zuivere eiwitten, magere vis of magere kwark op te nemen enorm, want eiwitten zijn samengesteld uit een combinatie van heel lange ketens – aminozuren – die onderling door een sterk 'cement' zijn verbonden. Om deze af te breken is veel energie nodig. Het kost je lichaam 30 calorieën, zodat het nog maar 70 overhoudt. De SDW van eiwitten is dus 30 procent.

De opname van eiwitten, waarvoor je inwendig hard moet zwoegen, zorgt voor afgifte van warmte en een hogere lichaamstemperatuur. Dat verklaart waarom je beter niet in koud water kunt gaan zwemmen kort na het nuttigen van een eiwitrijke maaltijd. Het temperatuurverschil kan flauwte en daardoor verdrinking veroorzaken.

Deze eigenschap van eiwitten, vervelend voor gehaaste zwemmers, vormt een weldaad voor iedereen die heel makkelijk calorieën opneemt. Ze zorgt ervoor dat we pijnloos kunnen besparen en lekkerder kunnen blijven eten zonder er meteen voor te hoeven boeten.

Aan het einde van de dag houdt het lichaam bij een consumptie van 1500 calorieën aan eiwitten, wat een substantiële portie is, hiervan na vertering slechts 1000 calorieën over. Dat is een van de sleutels van het Dukan Dieet en een van de structurele redenen waarom het werkt. Maar dat is nog niet alles...

Zuivere eiwitten verminderen de eetlust

Het eten van zoetigheid of vet voedsel, dat makkelijk wordt verteerd en opgenomen, genereert een oppervlakkige verzadiging, die al snel wordt overstemd door nieuwe honger. Recent onderzoek heeft aangetoond dat het snoepen van zoete of vette tussendoortjes niet de honger wegneemt en evenmin minder doet eten tijdens de maaltijd. Eiwitrijke tussendoortjes stellen wel dat moment van honger uit en zorgen ervoor dat je minder eet tijdens de maaltijd.

Bovendien zorgt het uitsluitend eten van eiwitrijke producten voor de aanmaak van ketonlichaampjes: krachtige eetlustremmers die langdurige verzadiging opleveren. Na twee tot drie dagen alleen eiwitten eten, verdwijnt de honger helemaal en kun je het Dukan Dieet volgen zonder last te hebben van de dreiging die zwaar drukt op de meeste andere diëten: honger.

Zuivere eiwitten gaan oedeem en het vasthouden van vocht tegen

Bepaalde diëten of voedingswijzen staan bekend als 'hydrofiel': ze bevorderen het vasthouden van vocht en het opzwellen dat er het directe gevolg van is. Dit geldt voor de overwegend plantaardige diëten, met veel fruit, groenten en minerale zouten.

Eiwitrijk voedsel is juist 'hydrofuug': het bevordert de uitdrijving via de urine en daarmee het opdrogen van weefsel dat verzadigd is met vocht. Dat is een probleem dat vaak speelt bij vrouwen in de premenstruele periode en tijdens de premenopauze.

Het aanvalsdieet van Dukan, samengesteld uit zo zuiver mogelijke eiwitten, benut die eigenschap maximaal.

Dit is vooral voordelig voor de vrouw. Mannen komen aan omdat ze te veel eten en de overtollige calorieën opslaan in de vorm van vet. Bij de vrouw is het mechanisme waardoor ze aankomt vaak veel complexer en houdt het verband met het vasthouden van vocht. Dat laatste remt en vermindert het effect van een dieet.

Op bepaalde momenten in de menstruatiecyclus, in de vier tot vijf dagen voor de ongesteldheid of op bepaalde keerpunten in het leven van een vrouw – ongeregelde puberteit, langdurige premenopauze of zelfs tijdens het vruchtbare leven door hormonale stoornissen – beginnen vrouwen, vooral als ze al wat zwaarder zijn, vocht vast te houden. Ze voelen zich als een spons, opgeblazen, kogelrond, kunnen hun ringen niet meer afkrijgen, hebben zware benen en dikke enkels. Dit vasthouden gaat gepaard met een meestal omkeerbare toename van gewicht, die echter wel chronisch kan worden.

Zo kunnen vrouwen die op dieet gaan om weer slank te worden en deze extra pondjes kwijt te raken tot hun verrassing merken dat hun beproefde manier om af te vallen opeens geen effect meer heeft.

In al die, helaas niet zeldzame, gevallen werken zuivere eiwitten, zoals ze worden gebundeld in het aanvalsdieet van Dukan, zowel doorslaggevend als direct. In een paar dagen, soms zelfs binnen enkele uren, droogt het met vocht doordrenkte weefsel op en voelt de vrouw zich beter en lichter. Dit is ook te zien op de weegschaal, wat de motivatie weer bevordert.

Zuivere eiwitten verhogen de weerstand van het organisme

Voedingsdeskundigen zijn bekend met deze eigenschap en de mensheid weet het van oudsher. Voor tuberculose werd uitgeroeid door antibiotica, was een van de pijlers van de klassieke behandeling overvoeding met een grote verhoging van het aandeel proteïnen. In Berck werden pubers gedwongen dierlijk bloed te drinken. Hedendaagse trainers raden sporters die hun lichaam zwaar op de proef stellen voedsel met een hoog proteïnegehalte aan. Artsen doen hetzelfde om de weerstand tegen infecties te verhogen, bij bloedarmoede of om het helen van wonden te versnellen.

We moeten van dit voordeel gebruikmaken, want afvallen, in welke vorm dan ook, verzwakt het lichaam altijd enigszins. Ik heb gemerkt dat de beginfase van het Dukan Dieet, waarin uitsluitend zo zuiver mogelijke eiwitten gegeten worden, de meest stimulerende fase is. Er zijn patiënten die me vertelden dat ze een euforisch gevoel kregen, zowel fysiek als mentaal, en dat al vanaf de tweede dag.

Dankzij de zuivere eiwitten van het Dukan Dieet kun je afvallen zonder spierafbraak of verslapping van de huid
Die constatering is niet verrassend als je weet dat de huid, het elastische weefsel, evenals alle spieren van het lichaam voornamelijk uit eiwitten bestaat. Een eiwitarm dieet dwingt het lichaam de eiwitten uit zijn eigen spieren en huid te halen, waardoor de laatste zijn elasticiteit verliest – om nog maar te zwijgen over de afbraak van de botten die al bedreigd worden bij de vrouw in de menopauze. De combinatie van deze effecten zorgt voor veroudering van het weefsel, de huid en het haar... kortom, van het uiterlijk in zijn geheel. Dit valt de omgeving op, wat op zich al voldoende kan zijn om te stoppen met een dieet.

Omgekeerd zal een eiwitrijk dieet het lichaam weinig reden geven om zijn eigen eiwitreserves aan te spreken, omdat er voldoende eiwitten worden aangeleverd. Ondanks een snelle vermagering blijven de spieren stevig en de huid soepel, zodat je kunt afvallen zonder verouderingsverschijnselen.

Deze bijzonderheid van het Dukan Dieet lijkt misschien minder belangrijk voor jonge en stevige vrouwen, met veel spieren en een goede huid, maar wordt hoofdzaak voor vrouwen die de menopauze naderen, niet erg gespierd zijn of een tere, dunne huid hebben. Ik grijp deze kans aan om te zeggen dat tegenwoordig te veel mensen op de slanke lijn letten alleen op basis van de weegschaal. Het gewicht kan en mag niet de enige factor zijn. De soepelheid van de huid, de consistentie van het weefsel en de algehele stevigheid van het lichaam zijn ook factoren die meetellen in het uiterlijk van een vrouw.

Dit dieet vraagt veel water

Water is altijd een verwarrend onderwerp. Er gaan vele geruchten over dit onderwerp, maar vaak is er altijd wel een 'erkende' mening te vinden om het tegendeel te bevestigen van wat je gisteren hebt gehoord.

Water drinken is echter niet alleen een simpel marketingconcept voor dieetproducten, een grap bedoeld om wie wil afvallen te amuseren. Water drinken is een kwestie van het grootste belang, maar niemand en in het bijzonder degene die aan de lijn doet, is daarvan ooit echt doordrongen – ondanks enorme gecombineerde inspanningen van pers, artsen, waterfabrikanten en het gezonde verstand.

Simpel gezegd is het essentieel om calorieën te verbranden om vetvoorraden te laten smelten, maar die verbranding, hoe nodig ook, is niet voldoende. Afvallen gaat evenzeer om verbranden als om afscheiden.

Wat vind je van een was of afwas die wel is gewassen maar niet is gespoeld? Dat geldt ook voor afslanken. Het is onmisbaar dat juist op dit punt de zaken duidelijk zijn. Een dieet dat niet water in voldoende dosis voorschrijft, is een slecht dieet. Het is niet alleen weinig effectief, maar zorgt ook voor een accumulatie van schadelijke afvalstoffen.

Water zuivert en verbetert de resultaten van het dieet

Een simpele praktische test toont aan dat hoe meer je drinkt, hoe meer je plast en hoe meer de nieren de afvalstoffen kunnen afvoeren die voortkomen uit verbrande voeding. Water is dus het beste natuurlijke middel om af te slanken. Het is dan ook verrassend hoe weinig mensen voldoende drinken.

Duizenden dagelijkse prikkelingen remmen een natuurlijk gevoel van dorst en zullen dat uiteindelijk verdringen. Na dagen en maanden zal dat gevoel verdwijnen en geen waarschuwende rol meer spelen bij de uitdroging van weefsel.

Vrouwen, die een gevoeliger en kleinere blaas hebben dan mannen, aarzelen om te drinken. Ze proberen te vermijden dat ze voortdurend moeten opstaan tijdens het werk of een reis of omdat ze niet graag van een openbaar toilet gebruikmaken.

Wat echter aanvaardbaar is onder normale omstandigheden geldt niet meer tijdens een vermageringsdieet. Zelfs ondanks al dan niet denkbeeldige hygiënische bezwaren is er een argument dat moet overtuigen, namelijk: proberen af te vallen zonder te drinken is niet alleen giftig voor het organisme, maar kan gewichtsverlies zelfs totaal blokkeren en alle inspanningen tenietdoen. Waarom?

Omdat de menselijke motor, die vetten tijdens een dieet verbruikt, werkt als iedere andere verbrandingsmotor. De verbrande energie levert warmte en afvalstoffen.

Als die afvalstoffen niet regelmatig uitgestoten worden via de nieren, zullen ze zich accumuleren en uiteindelijk de verbranding onderbreken en elk gewichtsverlies verhinderen. En dat ondanks een perfect gevolgd dieet. Hetzelfde gebeurt bij een automotor als je de uitlaat dichtstopt of bij een kachel waar je de as niet uit haalt: beide zullen uiteindelijk gesmoord worden en uitgaan door de ophoping van afvalstoffen.

Verkeerde eetgewoonten en de aaneenschakeling van slechte behandelingen en buitensporige of onsamenhangende diëten maken de nieren uiteindelijk lui. Meer dan al het andere hebben mensen met overgewicht dus grote hoeveelheden water nodig om hun uitscheidingsorganen weer goed te laten werken.

In het begin lijkt dit misschien onaangenaam en vervelend, vooral in de winter, maar als je doorzet, wordt het een gewoonte die – versterkt door het aangename gevoel dat je je vanbinnen wast en beter afvalt – uiteindelijk weer verandert in een behoefte.

De combinatie van water en zuivere eiwitten heeft een grote ontslakkende werking bij cellulitis

Deze eigenschap gaat alleen vrouwen aan, want cellulitis is een vet dat ontstaat onder hormonale invloed en zich ophoopt en vastzet in de vrouwelijkste delen van het lichaam: de dijen, heupen en knieën.

Tegenover deze hardnekkige aandoening staan diëten vaak machteloos. Toch heb ik persoonlijk geconstateerd dat het dieet van zuivere eiwitten, gekoppeld aan een vermindering van zout en een verhoogd gebruik van mineraalarm water, een harmonieuzer gewichtsverlies mogelijk maakt met een matige maar reële afslanking van de moeilijke zones, zoals de heupen en de binnenkant van de knieën.

Vergeleken met andere diëten die een patiënte in andere perioden in haar leven had gevolgd, verminderde deze combinatie, bij een gelijk gewichtsverlies, het beste de totale omvang van het bekken en de dijen.

Deze resultaten zijn te verklaren door het vochtafdrijvende effect van eiwitten en de intense filtratie van de nieren door een grote toevoer van water. Het water dringt door in alle weefsels, de cellulitis incluis. Het dringt er zuiver en onbezoedeld in door en komt er zout en vol afvalstoffen weer uit. Bij deze ontslakkende en lozende werking komt nog het grote effect van het verbranden van zuivere eiwitten. Het weliswaar bescheiden en gedeeltelijke, maar zeldzame resultaat van deze combinatie onderscheidt het Dukan Dieet van de meeste andere diëten die geen enkel effect op cellulitis hebben.

Wanneer moet je water drinken?

Overtuigingen uit een andere tijd, die echter nog steeds het onderbewustzijn bij het grote publiek beïnvloeden, doen hardnekkig geloven dat je beter buiten de maaltijden om kunt drinken om te voorkomen dat het water wordt geïsoleerd door levensmiddelen.

Niet alleen is er geen fysiologisch bewijs voor deze stelling, ze werkt ook in heel veel gevallen nadelig. Niet drinken tijdens de maaltijden, op het moment waarop je dorst krijgt en waarop het prettig en makkelijk is om te drinken, leidt tot het risico dat je je dorst elimineert en, in het vuur van je dagelijkse beslommeringen, vergeet om de rest van de dag te drinken.

Tijdens het Dukan Dieet, en in het bijzonder in de aanvalsfase van zuivere eiwitten, is het absoluut nodig om anderhalve liter water per dag te drinken, behalve bij uitzonderlijke hormonale stoornissen of nierinsufficiëntie waardoor vocht wordt vastgehouden. Drink het liefst mineraalwater, maar ook water in elke andere vloeibare vorm, zoals thee, koffie of kruidenthee.

Een grote kop thee bij het ontbijt, een groot glas water in de loop van de ochtend, twee glazen water bij de lunch en een kop koffie na het eten, een glas water 's middags en twee bij het avondmaal, leveren makkelijk twee liter op.

Veel patiënten hebben me verteld dat ze zich hadden aangewend om te drinken zonder dorst door weinig elegant maar voor hen doeltreffend uit de fles te gaan drinken.

Welk water moet je drinken?

- Het beste water in de aanvalsfase, met zijn zuivere eiwitten, is mineraalarm water, licht urinedrijvend en laxerend. Kies een mineraalwater met een zoutgehalte van lager dan 50 mg per liter. De andere merken zijn weliswaar prima, maar te zout om in zulke grote hoeveelheden te drinken.
- Hydroxydase-water is bronwater dat erg goed werkt bij ontgiftende diëten en in het bijzonder bij overgewicht dat gepaard gaat met een diffuse cellulitis van de onderste ledematen. Dit water, onder andere verkrijgbaar via internet in flesjes van een dosis, kan prima in mijn plan worden gepast in de dosis van een flesje 's morgens op de nuchtere maag.
- Wie gewend is kraanwater te drinken, kan dat blijven doen. De gedronken hoeveelheid, die op zich voldoende moet zijn om de nieren wakker te schudden, is immers belangrijker dan de specifieke samenstelling van het water.
- Hetzelfde geldt voor alle soorten thee en kruidenthee, rooibos of sterrenmunt, voor iedereen die gewend is aan het ritueel van theedrinken en vooral voor wie liever warme dranken drinkt, vooral in de winter.
- Light frisdranken zijn toegestaan en in het bijzonder cola light, waarvan de verspreiding die van gewone cola inmiddels evenaart. Ik sta light frisdrank niet alleen toe, ik raad het zelfs aan. En dat om verschillende redenen. Allereerst dient het vaak om de verplichte twee liter vol te maken. Verder is het suiker- en caloriegehalte praktisch nul, een calorie per glas is amper een pinda per literfles. En tot slot is cola light vooral, net als de traditionele versie, een kundige melange van intense smaken waarvan het herhaalde gebruik, zeker bij de notoire snoeper, de zucht naar zoet kan helpen verminderen. Heel veel patiënten hebben beaamd dat ze tijdens hun dieet zijn geholpen door het troostende en aangename gebruik van light frisdranken.

Het dieet van kinderen of pubers vormt een uitzondering op het drinken van light frisdrank. Uit ervaring is gebleken dat op die leeftijd de vervanging door 'nepsuiker' een slecht effect heeft en amper de behoefte aan suiker beperkt. De onbeperkte inname van zoetigheid kan de gewoonte doen inslijten om te drinken zonder dorst, alleen voor het genot, wat weer kan leiden tot andere zorgwekkender verslavingen.

En tot slot is water een natuurlijk verzadigingsmiddel

Vaak verbinden we het gevoel van een lege maag met dat van honger, wat ook niet helemaal onjuist is. Het water dat je tijdens de maaltijd drinkt en wordt gemengd met het eten vergroot het totale volume van het voedselpakket. Het laat de maag uitzetten en geeft een vol gevoel: de twee eerste tekenen van verzadiging en voldaanheid. Dat is een reden te meer om te drinken aan tafel, maar uit ervaring blijkt dat het effect van handelingen en gebaren waarbij je iets in de mond doet ook buiten de maaltijden om werkt, bijvoorbeeld in de 'gevaarlijkste' periode van de dag: de uren voor de avondmaaltijd. Een groot glas drinken, van wat dan ook, is dan vaak voldoende om de behoefte aan voedsel te compenseren.

Tegenwoordig heeft honger overal ter wereld een nieuw werkterrein gevonden. Kansarme volkeren vallen nog steeds ten prooi aan hongersnood, maar tegelijkertijd hongert de westerling op ongetwijfeld futiele en tijdelijke maar daarom niet minder nijpende manier. Hij snakt naar het grenzeloze aanbod aan levensmiddelen dat hij ter beschikking heeft, maar kan er niet aan komen zonder risico op veroudering of ziekte.

We leven in een tijd waarin individuen, instituten en farmaceutische laboratoria ervan dromen de ideale en efficiënte hongerremmer te ontdekken. Toch weigert een meerderheid van schepselen die een ernstige mate van overgewicht hebben, uit onwetendheid, of erger, uit onwil, een middel te gebruiken dat zo simpel, zuiver en beproefd is als water om de honger te stillen.

Dit dieet moet zoutarm zijn

Zout is een element dat we nodig hebben om te leven en dat in verschillende mate in elk levensmiddel zit. Vaak is het toegevoegde zout echter overbodig. Het is slechts een middel om de smaak van het eten op te halen en de eetlust op te wekken, dat te vaak uit gewoonte gebruikt wordt.

Een zoutarm dieet is ongevaarlijk

We kunnen ons leven lang zoutarm eten en zouden dat zelfs moeten. Iedereen die lijdt aan een hartkwaal, nierinsufficiëntie en te hoge bloeddruk leeft permanent op een zoutarm dieet zonder ooit gebrek te vertonen. Een voorbehoud moet echter gemaakt worden voor mensen die van nature aan hypotensie lijden, die gewend zijn met een lage bloeddruk te leven. Een dieet met te weinig zout, vooral in combinatie met een grote waterconsumptie, kan het bloed nog meer filteren, verdunnen en daardoor het volume terugbrengen en zo de bloeddruk nog verder verlagen. En als de bloeddruk van nature al laag is, kan dat vermoeidheid veroorzaken en duizelingen wanneer men snel opstaat. Deze mensen mogen niet twee keer zout toevoegen en niet meer dan anderhalve liter water per dag drinken.

Te zoute voeding houdt juist het vocht in het weefsel vast

In warme landen worden regelmatig zouttabletten uitgedeeld aan wegwerkers om te voorkomen dat ze in de zon uitdrogen.

Bij de vrouw, vooral als haar hormonen opspelen in de dagen voor de menstruatie of in de premenopauze of zelfs tijdens de zwangerschap, kunnen allerlei delen van het lichaam als een spons gaan werken en grote hoeveelheden vocht vasthouden.

Bij hen heeft dit bij uitstek vochtafdrijvende dieet het meeste effect als ook de ingenomen hoeveelheid zout tot een minimum beperkt wordt. Vaak klagen mensen dat ze in een avond waarin ze flink zijn afgeweken van het dieet wel een of twee kilo aankomen. Het komt zelfs voor dat een dergelijke gewichtstoename niet wordt gerechtvaardigd door een echte afwijking van het dieet. Wanneer we zo'n uitbundige maaltijd analyseren, vinden we nooit de hoeveelheid levensmiddelen terug die nodig zijn om twee echte kilo's aan te komen, te weten: 18.000 calorieën, die je onmogelijk in zo'n korte tijd kunt consumeren. Het gaat hier echter om de combinatie van een maaltijd met te veel zout en te veel drank. Zout en alcohol bundelen hun krachten om de doorstroming van het gedronken water te vertragen. Je moet nooit vergeten dat een liter water een kilo weegt en dat 9 g zout een liter een tot twee dagen kan vasthouden in het weefsel.

Als je tijdens een dieet verplicht bent voor je werk of door familieomstandigheden een maaltijd te nuttigen waarvoor je de geldende regels opzij moet schuiven, vermijd dan om te veel zout te gebruiken, te veel water te drinken en vooral je de volgende morgen te wegen, want een forse gewichtstoename, die bovendien ongerechtvaardigd is, kan je ontmoedigen en je vastberadenheid en zelfvertrouwen ondermijnen. Wacht nog een dag of liefst twee dagen, intensiveer je dieet, drink mineraalarm water en beperk je zoutgebruik, drie maatregelen om terug te keren tot je vorige niveau.

Zout stimuleert de eetlust en minder zout stilt de eetlust

Dit is een feit. Zoute gerechten bevorderen de vorming van speeksel en maagsappen, wat weer de eetlust bevordert. Omgekeerd stimuleren zoutarme gerechten tot minder productie van spijsverteringssappen en hebben ze geen effect op de eetlust. Helaas brengt de afwezigheid van zout ook het dorstgevoel terug en wie het Dukan Dieet volgt, moet bereid zijn in de eerste dagen veel te drinken om de behoefte aan water en de terugkeer van de natuurlijke dorst te stimuleren.

Conclusie

Het dieet van zuivere eiwitten, startdieet en voornaamste motor in elk van de vier fasen waaruit mijn dieet bestaat, is geen dieet zoals alle andere. Het is het enige dat slechts één groep voedingsstoffen gebruikt:

een duidelijk gedefinieerde categorie met een maximaal gehalte aan eiwitten.

Bij dit dieet en de uitvoering ervan moet je elke neiging calorieën te tellen afzweren. Weinig of veel eten heeft weinig invloed op het resultaat. Het gaat erom binnen de categorie voedingsstoffen te blijven.

Het Dukan Dieet is zelfs het enige waarvan het beproefde geheim veel eten is, preventief eten, voor je honger krijgt, een honger die onbeheersbaar wordt en die zich niet meer laat stillen met toegestane eiwitten, maar de zondaar zal leiden naar troostvoedsel, eten met weinig voedingswaarde maar met een grote emotionele lading, zoet en romig, rijk aan destabilisatoren.

De effectiviteit van dit dieet is onverbrekelijk verbonden met de keuze van levensmiddelen en zal groot zijn als je de voeding beperkt tot deze categorie levensmiddelen, maar wordt sterk vertraagd en teruggebracht tot het trieste tellen van calorieën als je je niet aan die beperking kunt houden.

Het is dus geen dieet dat je maar half kunt doen. Het volgt een wet van alles of niets, wat zijn metabolische effectiviteit verklaart. Bovendien past het precies bij de psyche van degene die met gewichtsproblemen kampt en vaak zelf ook functioneert volgens diezelfde wet van extremen.

Mensen met een bij uitstek excessief temperament, even ascetisch in hun inspanning als makkelijk in het opgeven, vinden in elk van de vier etappes van mijn plan een opbouw die op hen lijkt te zijn toegesneden.

De afstemming van de dieetstructuur op denk- en gevoelspatronen zorgt voor een herkenning, waarvan het belang lastig te begrijpen is voor de leek, maar die in de praktijk doorslaggevend is. Het dieet nodigt uit om er helemaal voor te gaan, wat de vermagering vergemakkelijkt, maar het biedt ook veiligheidsmaatregelen in de uiteindelijke volhardingsfase, wanneer alles berust op een enkele eiwitdag per week, een balansdag, een even nauwkeurig als effectief middel dat alleen en in deze vorm aanvaardbaar is voor iedereen die al zolang hij zich kan herinneren vecht tegen de aanleg tot overgewicht.

Gerechten op basis van zuivere eiwitten

Gevogelte

Krokante kippenvleugeltjes

Voorbereidingstijd: 10 minuten – Bereidingstijd: 20 minuten
Voor 2 personen

- 6 kippenvleugeltjes
- 1 klein glas sojasaus
- 1 teen knoflook, geperst
- 1 eetlepel Hermesetas® vloeibaar
- 4 theelepels vijfkruidenpoeder (steranijs, kruidnagel, peper, kaneel, venkel)
- 1 theelepel versgehakte gemberwortel

Meng in een kom alle ingrediënten. Laat het geheel 2-3 uur marineren en schep het een paar keer goed door.
Leg de kippenvleugeltjes op een bakplaat en zet ze onder de grill.
Draai de vleugeltjes na 5-10 minuten om en gril ze nog eens 5-10 minuten tot ze gaar en krokant zijn.

Kalkoenfilet in pakketjes

Voorbereidingstijd: 15 minuten – Bereidingstijd: 30 minuten
Voor 4 personen

- 4 kalkoenfilets van ca. 100 g
- 4 eetlepels mosterd
- 4 plakken runderrookvlees
- Provençaalse kruiden
- zout, peper

Verwarm de oven voor op 180 °C.
Snijd indien nodig het vet van de filets en leg ze op stukjes aluminiumfolie. Bestrijk elke filet met een eetlepel mosterd, wikkel er een plak rookvlees omheen en bestrooi het geheel met Provençaalse kruiden en wat zout en peper naar smaak.
Sprenkel wat water over het vlees, vouw de pakketjes dicht en zet ze dan 30 minuten in de oven.

Kippenbouillon met mosselen

Voorbereidingstijd: 30 minuten – Bereidingstijd: 2 uur
Voor 6 personen

- 2 uien
- 1 bol knoflook
- 1,5 kg kippenvleugeltjes
- 2 sjalotjes, gehakt
- 4 stengels bleekselderij, gehakt
- 1 bouquet garni
- 1 kg mosselen
- 6 sprietjes bieslook, gehakt
- 6 takjes kervel, gehakt
- zout en peper

Pel de uien, sjalotjes en knoflook. Breng 3 liter water met wat zout aan de kook. Voeg de kippenvleugeltjes, uien, sjalotjes, knoflook, selderij, het bouquet garni en de peper toe. Leg het deksel op de pan en laat het geheel 2 uur op heel laag vuur koken. Let op: hoog vuur maakt de bouillon troebel. Borstel intussen de mosselen schoon onder koud stromend water en doe ze in een grote pan met water. Leg het deksel op de pan en kook de mosselen 3 minuten op hoog vuur tot ze opengaan; verwijder eventuele gesloten exemplaren. Houd het kookvocht apart en haal de mosselen uit de schelp. Houd er een paar apart voor de garnering. Zeef het kookvocht. Verdeel de mosselen over zes kommen met een beetje van het kookvocht. Zeef dan de bouillon (en haal de kip eruit), breng hem even kort aan de kook en voeg nog wat zout en peper toe. Schep de kippenbouillon over de mosselen, bestrooi het geheel met fijngehakte kervel en bieslook en leg er wat mosselen op als garnering. Serveer meteen.

Thaise kippenbouillon

Voorbereidingstijd: 15 minuten – Bereidingstijd: 3 uur
Voor 2 personen

- 2 kippenkarkassen
- 2 l koud water
- 1 ui, in partjes
- 1 bosje koriander, grof gehakt
- 2 stengels citroengras, geperst (alleen het witte deel)
- 2 kaffir-limoenblaadjes, gehakt (naar wens)
- 1 eetlepel galangawortel (of gemberwortel), gehakt
- zout en peper

Leg de kippenkarkassen in een hoge pan met koud water. Breng het geheel aan de kook en schep het schuim eraf.
Zet het vuur lager, voeg de rest van de ingrediënten toe en laat het geheel 2-3 uur zachtjes koken.
Het citroengras en de kaffir-limoenblaadjes geven de bouillon een heerlijke citroensmaak. Gebruik van de koriander alleen de steeltjes en wortels.

Spiesjes van kip met mosterd

Voorbereidingstijd: 20 minuten – Bereidingstijd: 15 minuten
Voor 4 personen

- 4 kipfilets
- 2 eetlepels scherpe mosterd
- 1 theelepel citroensap
- ½ teen knoflook, gehakt
- 250 ml warm water
- 1 kippenbouillonblokje
- 50 ml magere melk
- 1 theelepel maizena

Snijd de kipfilets in grote stukken en doe ze in een kom. Meng in een andere kom de mosterd, knoflook, het citroensap en het in het water opgeloste bouillonblokje. Giet driekwart van de marinade over de kip. Meng alles goed door en zet de kom 2 uur in de koelkast.
Rijg dan de stukken kip aan spiesjes en rooster ze 15 minuten in een warme oven.

Meng de maizena door de melk. Giet de rest van de marinade samen met de melk in een pannetje. Laat de saus op laag vuur langzaam dik worden.

Spiesjes van kip met yoghurt

Voorbereidingstijd: 30 minuten – Bereidingstijd: 10 minuten
Voor 2 personen

- 500 g kipfilet
- 1 theelepel kurkuma
- 1 mespuntje chilipoeder, heet
- ½ theelepel komijnpoeder
- ½ theelepel korianderpoeder
- 1 bosje uitjes, in stukjes
- 250 g magere yoghurt
- ½ citroen
- zout en peper

Snijd de kipfilets in stukken. Doe ze samen met de specerijen en de yoghurt in een ondiepe schaal. Meng alles goed. Dek het geheel af en laat het 3 uur in de koelkast marineren.
Laat de stukken kip uitlekken (houd de marinade apart) en rijg ze aan houten spiesjes afgewisseld met stukjes ui – voeg naar smaak nog wat zout en peper toe. Zet ze dan 10 minuten onder de grill.
Hak intussen 2 uitjes fijn en fruit ze 2-3 minuten in een koekenpan op middelhoog vuur. Voeg de marinade toe en roer alles goed door. Verwarm de saus op laag vuur. Breng hem op smaak met zout en peper en wat citroensap. Serveer de spiesjes meteen en geef de saus erbij.

Spiesjes van kip met specerijen

Voorbereidingstijd: 30 minuten – Bereidingstijd: 10 minuten
Voor 5 personen

- 1 kg kipfilet
- 250 g magere yoghurt
- 1 theelepel chilipoeder
- 1 theelepel kurkumapoeder
- 1 theelepel komijnpoeder
- 1 theelepel korianderpoeder
- 1 theelepel geraspte gember
- 1 teen knoflook, geperst

Laat 25 spiesjes in wat water weken, zodat ze niet verbranden tijdens het roosteren.
Haal het vet van de kip en snijd in blokjes.
Maak de marinade met de yoghurt en alle specerijen.
Rijg de stukken kip aan de spiesjes en leg ze op een schaal. Giet de marinade erover. Laat het geheel enkele uren of een hele nacht in de koelkast marineren. Leg de spiesjes onder een grill of op de barbecue en rooster ze 8-10 minuten, tot het vlees mooi mals en goudbruin is.

Spiesjes van gemarineerde kip

Voorbereidingstijd: 30 minuten – Bereidingstijd: 10 minuten
Voor 4 personen

- 4 kipfilets
- 4 tenen knoflook, gehakt
- 2 citroenen
- 1 theelepel komijnpoeder
- 1 theelepel tijm
- 1 groene paprika (of rood naar smaak)
- 8 jonge uitjes, gepeld
- zout en peper

Snijd een dag van tevoren de kipfilets in stukken. Leg ze in een ondiepe schaal samen met de gehakte knoflook, het citroensap, de komijn, tijm en zout en peper. Dek het geheel af met huishoudfolie en laat het een nacht in de koelkast marineren.
Snijd de paprika in blokjes en de gepelde uitjes in vieren. Rijg om en

om stukjes kip, ui en paprika aan de spiesjes. Schenk de marinade erover en rooster de spiesjes op de barbecue of onder de grill, 5 minuten aan elke kant.

Kalkoencake

Voorbereidingstijd: 15 minuten – Bereidingstijd: 30 minuten
Voor 4 personen

- 4 kalkoenschnitzels (ongepaneerd)
- 1 grote ui, gesnipperd
- 2 eetlepels specerijen en kruiden (komijn, basilicum, Provençaalse kruiden, peper, zout, paprikapoeder, gember)
- 6 eieren
- 2 eetlepels maizena

Verwarm de oven voor op 180 °C.
Meng het vlees en de ui, voeg de specerijen en kruiden toe, roer de eieren erdoor en tot slot de maizena.
Schep het mengsel in een cakevorm (au bain-marie) of in een ovenschaal en bak het geheel au bain-marie 20-30 minuten in de oven.

Haantje met limoen in zoutkorst

Voorbereidingstijd: 25 minuten – Bereidingstijd: 50 minuten
Voor 2 personen

- 1 bouquet garni
- 2 limoenen
- 1 ui
- 1 haantje van 400 à 500 g
- 2 eiwitten
- 2 kg grof zeezout
- zout en peper

Leg een dag van tevoren het bouquet garni, sap van een halve limoen, de gepelde en in partjes gesneden ui en het haantje in 1 liter koud water.
Vul de volgende dag het haantje met de vaste delen van de marinade.
Meng de eiwitten door het grove zout en bedek de bodem van een

ovenschaal met een laagje zout. Leg het haantje erop en strooi de rest van het zout erover.
Bak het geheel 50 minuten in een voorverwarmde oven op 210 °C.
Breek met de bolle kant van een lepel de zoutkorst open. Haal het haantje eruit, snijd het in tweeën en besprenkel het met limoensap.

Kippenpoten en papillote

Voorbereidingstijd: 10 minuten – Bereidingstijd: 45 minuten
Voor 2 personen

- 100 g magere kwark
- 1 sjalotje, gehakt
- 1 eetlepel gehakte peterselie
- 20 sprietjes bieslook, gehakt
- 2 kippenpoten
- zout en peper

Verwarm de oven voor op 150 °C.
Maak een vulling van de kwark, het sjalotje, de peterselie en het bieslook. Voeg naar smaak nog wat zout en peper toe.
Haal het vel van de kippenpoten en maak met een scherp mes in het dikste deel van de poot een inkeping van circa 2 cm lang en 1,5 cm diep. Schep wat van de vulling in de opening en wentel de poten dan door de rest van het mengsel. Leg de kippenpoten elk op een vel aluminiumfolie en vouw de folie dicht. Bedek de bodem van een ovenschaal met een laagje water en leg de pakketjes erin.
Zet het geheel 45 minuten in de oven.

Kalkoen met melk

Voorbereidingstijd: 20 minuten – Bereidingstijd: 50 minuten
Voor 4 personen

- 5 tenen knoflook
- 1 kalkoen van 1 kg
- 1 snufje nootmuskaat
- 1 l magere melk

Verwarm de oven voor op 210 °C.
Pel de tenen knoflook en haal de scheuten eruit. Bestrooi het vlees met peper en zout, en een snufje nootmuskaat. Leg de kalkoen samen met de knoflook in een grote braadpan met antiaanbaklaag. Giet de melk erover: het vlees moet minstens voor driekwart onderstaan. Laat de melk in ongeveer 5 minuten langzaam warm worden.
Zet het geheel in de oven en laat het in circa 50 minuten gaar worden. Keer de kalkoen om de 10 minuten om. Zet na 50 minuten de oven uit, leg het deksel op de pan en laat hem nog 10 minuten in de oven staan.
Zeef de saus zorgvuldig en serveer meteen.

Kalkoenschnitzels en papillote

Voorbereidingstijd: 20 minuten – Bereidingstijd: 25 minuten
Voor 4 personen

- 4 kalkoenschnitzels
- 100 g magere kwark
- 1 theelepel maizena
- 2 theelepels grove mosterd
- 2 theelepels fijne mosterd
- 2 theelepels rozepeperkorrels
- 2 takjes tijm
- zout en peper

Verwarm de oven voor op 180 °C.
Bak de schnitzels in een koekenpan met antiaanbaklaag of onder de grill aan beide zijden 1 minuut. Houd ze apart op een bord. Roer de kwark, maizena en mosterd in een kleine kom goed door. Breng het mengsel op smaak met zout, peper en de gemalen roze peper.
Leg elke schnitzel op een vel bakpapier van 20 x 30 cm en verdeel de saus erover. Bestrooi het geheel met tijm. Vouw het papier goed dicht. Leg de pakketjes in een grote ovenschaal en zet het geheel circa 25 minuten in de oven. Serveer warm.

Kipschnitzels Tandoori

Voorbereidingstijd: 15 minuten – Bereidingstijd: 20 minuten
Voor 6 personen

- 250 g magere yoghurt
- 2 theelepels tandoori masala (Indiase specerijenmix)
- 3 tenen knoflook, geperst
- 2 cm gemberwortel, geperst
- 2 groene chilipepers, fijngehakt
- het sap van 1 citroen
- 6 kipschnitzels, ongepaneerd
- zout en peper

Meng alle ingrediënten, behalve het vlees. Maak de knoflook, gember en pepers goed fijn, zodat het mengsel mooi glad wordt.
Snijd de kipschnitzels in, zodat het yoghurt-specerijenmengsel er goed in kan trekken. Laat het geheel een hele nacht in de koelkast marineren.
Bak de kipschnitzels de volgende dag 20 minuten in een voorverwarmde oven op 180 °C en laat ze dan nog 5 minuten onder de grill goudbruin worden.

Schnitzels van gevogelte met kerrie en yoghurt

Voorbereidingstijd: 5 minuten – Bereidingstijd: 5 minuten
Voor 4 personen

- 250 g magere yoghurt
- 3 theelepels kerriepoeder
- 4 dunne gevogelteschnitzels
- zout en peper

Laat de houtskool in de barbecue gloeien.
Meng de yoghurt, het kerriepoeder en zout en peper.
Bedek de schnitzels met het mengsel en laat ze 2 uur op een koele plek marineren.
Rooster de schnitzels 5 minuten aan beide kanten en bestrijk ze tijdens het roosteren nog een paar keer met de marinade.

Kip met citroengras

Voorbereidingstijd: 30 minuten – Bereidingstijd: 55 minuten
Voor 8 personen

- 1,5 kg kipschnitzel
- 2 kleine uien
- 2 sprietjes citroengras
- 1 snufje chilipoeder
- olijfolie
- 2 eetlepels vissaus
- 2 eetlepels sojasaus
- 2 eetlepels Hermesetas® vloeibaar
- zout en peper

Snijd de kip in dunne reepjes. Pel en snipper de uien.
Snijd het citroengras fijn.
Doe een klein beetje olijfolie in een koekenpan en braad het vlees in 10 minuten goudbruin. Voeg de ui, het citroengras, het chilipoeder, de vissaus, sojasaus, Hermesetas en zout en peper toe.
Zet het vuur laag. Leg het deksel op de pan en laat het geheel 45 minuten zachtjes koken.

Indiase kip

Voorbereidingstijd: 40 minuten – Bereidingstijd: 1 uur
Voor 4 personen

- 1 citroen, uitgeperst
- 1 gemberwortel
- 3 tenen knoflook
- 1 hele kip, in stukken
- 375 ml magere yoghurt
- 1 theelepel kaneel
- 2 snufjes cayennepeper
- 1 theelepel korianderzaad
- 3 kruidnagels
- 10 fijngehakte muntblaadjes
- 2 uien
- 1 eetlepel water
- 1 kippenbouillonblokje
- zout en peper

Pel de citroen en snijd hem in stukjes. Schil de gember en hak hem fijn (je hebt 4 eetlepels gember nodig).
Pel de knoflook en hak hem fijn.

Meng in een schaal de yoghurt, gember, knoflook, specerijen, citroen en munt. Bestrooi de stukken kip met peper en zout en bedek ze met het yoghurtmengsel. Laat ze 24 uur in de koelkast marineren.
Snipper de volgende dag de uien en fruit ze in een koekenpan met antiaanbaklaag. Voeg het water en de gemarineerde kip toe.
Laat het geheel op laag vuur circa 1 uur zachtjes koken.
Maak met het resterende kookvocht en het blokje kippenbouillon een lichte soep.
Serveer alles heel warm.

Kip met gember

Voorbereidingstijd: 20 minuten – Bereidingstijd: 1 uur
Voor 4 personen

- 1 kip
- 2 grote uien
- 3 tenen knoflook
- een paar kruidnagels
- 5 g gember, geraspt
- zout en peper

Snijd de kip in stukken.
Pel en snipper de ui en knoflook, en fruit ze in een licht ingevette koekenpan op laag vuur.
Steek de kruidnagels in de kip en leg het vlees dan in de pan. Zet het onder water.
Voeg de geraspte gember toe.
Breng het geheel op smaak met peper en zout.
Laat het op middelhoog vuur zachtjes koken tot al het water is verdampt.

Kip met tijm

Voorbereidingstijd: 35 minuten – Bereidingstijd: 30-35 minuten
Voor 4 personen

- 1 scharrelkip
- 1 bosje verse tijm
- 2 sjalotjes, gesnipperd
- 375 g magere yoghurt
- ½ citroen
- 1 bosje peterselie, gehakt
- een paar blaadjes munt, gehakt
- 1 teen knoflook, fijngehakt
- zout en peper

Snijd de kip in stukken en breng deze op smaak met zout en peper.
Giet een flinke laag water in het onderste deel van een stoompan, doe er zout bij en breng het aan de kook.
Verdeel de helft van de tijm in het bovenste deel van de stoompan en leg de kip erbovenop. Voeg dan de rest van de tijm en de gepelde en gesnipperde sjalotjes toe. Sluit de pan en reken 30-35 minuten stoomtijd, vanaf het moment dat er stoom begint te ontsnappen.
Giet intussen de yoghurt in een kom en voeg het citroensap, de peterselie, munt en knoflook toe. Breng het mengsel op smaak met zout en peper. Roer alles goed door en zet het in de koelkast. Serveer de saus – lekker koud – bij de kip.

Kip met yoghurt

Voorbereidingstijd: 15 minuten – Bereidingstijd: 1 uur 30 minuten
Voor 4 personen

- 1 kip
- 120 g ui, gesnipperd
- 250 g magere yoghurt
- ½ theelepel gemberpoeder
- ½ theelepel paprikapoeder
- 2 theelepels citroensap
- 2 theelepels kerriepoeder
- de schil van een ½ citroen
- zout en peper

Snijd de kip in stukken, trek het vel eraf en leg de stukken in een pan met antiaanbaklaag.
Meng de andere ingrediënten, verdeel ze over de kip en leg het deksel op de pan.
Laat het geheel circa 1 uur en 30 minuten sudderen op laag vuur.
Voeg naar smaak nog wat zout en peper toe, en haal, indien nodig, de deksel aan het eind van de bereidingstijd van de pan om de saus te laten inkoken.
Serveer warm.

Kip met citroen

Voorbereidingstijd: 15 minuten – Bereidingstijd: 45 minuten
Voor 2 personen

- 500 g kip
- 1 ui, gesnipperd
- 2 tenen knoflook, gesnipperd
- ½ theelepel geraspte gember
- het sap en de schil van 2 onbespoten citroenen
- 2 eetlepels sojasaus
- 1 bouquet garni
- 1 snufje kaneelpoeder
- 1 snufje gemberpoeder
- zout en peper

Snijd het vlees in stukken.
Fruit de ui, knoflook en gember 3-4 minuten in een pan met antiaanbaklaag.
Voeg het vlees toe en braad het al roerend met een spatel 2 minuten op hoog vuur rondom bruin. Schenk het citroensap, de sojasaus en 150 ml water erbij. Voeg het bouquet garni, de kaneel, het gemberpoeder en de citroenschil toe en roer alles goed door.
Breng het geheel op smaak met peper en zout, leg het deksel op de pan en laat het op laag vuur 45 minuten sudderen.
Serveer warm.

Exotische kip

Voorbereidingstijd: 20 minuten – Bereidingstijd: 1 uur 20 minuten
Voor 4 personen

- 4 kippenpoten
- 2 tenen knoflook, gesnipperd
- 2 uien, gesnipperd
- 375 g magere yoghurt
- 1 mespuntje vierkruidenpoeder
- 2 theelepels kerriepoeder
- 1 kaneelstokje
- 2 theelepels komijn
- 10 kardemompeulen, gepeld
- 1 draadje saffraan
- 1 snufje cayennepeper

Haal het vel van de kippenpoten en bak ze in een licht ingevette koekenpan op middelhoog vuur rondom bruin. Voeg de fijngesnipperde knoflook en ui toe en bak ze zacht en lichtbruin.
Roer het vierkruidenpoeder en kerriepoeder door de yoghurt en schep het mengsel over de kip. Leg het deksel op de pan en laat het geheel op laag vuur 50 minuten sudderen.
Voeg dan het kaneelstokje, de komijn, kardemom, saffraan en een snufje cayennepeper toe. Laat het geheel nog 30 minuten zachtjes koken.
Leg de kippenpoten op een voorverwarmde schaal. Zeef de saus en pureer hem in een paar seconden mooi glad.
Schenk de saus over de kip en serveer meteen.

Kip Tandoori

Voorbereidingstijd: 30 minuten – Bereidingstijd: 35 minuten
Voor 4 personen

- 4 kippenpoten
- het sap van 1 citroen
- 4 eetlepels tandooricurrypasta
- 250 g magere yoghurt
- 1 teen knoflook, geperst
- zout en peper

Haal het vel van de kippenpoten en snijd ze bij het gewricht in tweeën.

Kerf het vlees een paar maal in. Leg de stukken in een ondiepe schaal en besprenkel ze met citroensap.
Meng in een grote kom de currypasta, yoghurt en knoflook. Voeg naar smaak zout en peper toe. Schep het mengsel over het vlees. Laat het geheel minstens 6 uur marineren in de koelkast en wentel de kip daarbij twee tot drie keer goed om in de marinade.
Haal de stukken kip uit de marinade. Laat ze uitlekken en leg ze onder de grill in de oven. Gril ze in 35 minuten gaar, draai ze regelmatig om en bestrijk ze drie tot vier keer met de rest van de marinade.

Kippaté

Voorbereidingstijd: 15 minuten – Bereidingstijd: 5 minuten
Voor 3 personen

- 500 g kipfilet (of kalkoen)
- 2 uien, gesnipperd
- 5 augurken, fijngehakt
- 100 g magere yoghurt
- 1 snufje chilipoeder
- 1 snufje nootmuskaat
- zout en peper

Bak de kip in een licht ingevette koekenpan in 5 minuten op hoog vuur goudbruin.
Doe de kip dan samen met de andere ingrediënten (niet te veel zout) in een keukenmachine en mix alles tot een glad mengsel.
Schep het mengsel in een terrine of cakevorm en laat het minimaal 2 uur in de koelkast opstijven.

Gebraden kip met citroen en kappertjes

Voorbereidingstijd: 20 minuten – Bereidingstijd: 20 minuten
Voor 4 personen

- 1 rode ui, gesnipperd
- 800 g kipfilet, in reepjes
- de schil van 1 onbespoten citroen
- 1 eetlepel kappertjes, afgespoeld en uitgelekt
- 75 ml citroensap
- 5 blaadjes basilicum, gescheurd
- zout en peper

Fruit de gesnipperde ui in een licht ingevette pan met antiaanbaklaag. Zet hem apart.
Braad in dezelfde pan de kip 15 minuten op middelhoog vuur.
Voeg de ui, citroenschil, kappertjes, het citroensap, basilicum en zout en peper toe; roer alles goed door.
Serveer heel warm.

Gebraden kip met chilipeper

Voorbereidingstijd: 35 minuten – Bereidingstijd: 6 minuten
Voor 4 personen

- 4 kipfilets
- 6 kleine rode uien (of sjalotjes)
- 3-6 verse rode chilipepers
- 4 tenen knoflook
- 1 stuk verse gemberwortel
- 1 stengel citroengras
- 150 ml water
- zout en peper

Snijd de kipfilets overlangs in 8 stukken. Snijd een ui in dunne ringen als garnering. Was de pepers, pel de ui en knoflook, hak ze fijn, schil de gemberwortel en het citroengras. Pureer de pepers, het citroengras en de helft van de gember fijn. Zet het mengsel apart.
Pureer dan de ui, knoflook en de andere helft van de gember.
Fruit de chilipasta 1-2 minuten in een pan met antiaanbaklaag. Voeg de stukken kip toe en roer alles goed door, zodat de kip aan alle kan-

ten bedekt is met het chilimengsel. Giet het water erbij en voeg dan de uienpasta toe; roer alles goed door. Breng het geheel op smaak met peper en zout. Laat het zonder deksel 5 minuten op hoog vuur koken. Serveer warm met een garnering van uienringen.

Soufflé van kippenlever

Voorbereidingstijd: 20 minuten – Bereidingstijd: 30 minuten
Voor 2 personen

- 250 g kippenlever
- 1 teen knoflook, gepeld
- 1 bosje peterselie
- 4 eieren
- 500 ml bechamelsaus Dukan
- zout en peper

Bak de kippenlevertjes in een lichtingevette pan met antiaanbaklaag. Hak ze daarna fijn samen met de knoflook en peterselie.
Splits de eieren.
Doe de bechamelsaus en de eidooiers bij de gehakte lever en meng alles goed door.
Klop de eiwitten stijf. Spatel ze door het levermengsel. Breng het geheel op smaak met peper en zout.
Doe het mengsel in een soufflévorm en zet het 30 minuten in de oven. Laat het niet te bruin kleuren.

Terrine van kippenlever

Voorbereidingstijd: 15 minuten – Bereidingstijd: 5 minuten
Voor 4 personen

- 300 g kippenlever
- 3 eetlepels frambozenazijn
- 1 bosje dragon
- 150 g magere kwark
- zout en peper

Bak de kippenlever op hoog vuur in een licht ingevette pan met anti-

aanbaklaag. Blus hem af met de frambozenazijn en breng hem op smaak met zout en peper.
Ris de blaadjes van de dragon en doe ze samen met de kippenlevers en de kwark in een keukenmachine.
Pureer het geheel en schep het mengsel in een terrine of cakevorm.
Laat het 24 uur in de koelkast opstijven.

Terrine van ham

Voorbereidingstijd: 40 minuten – Bereidingstijd: geen
Voor 8 personen

- 2 zakjes geleipoeder
- 500 ml water
- 1 grote bos peterselie
- 200 g kip- of kalkoenhamblokjes

Los in een pan twee zakjes geleipoeder op in 500 ml water. Breng het geheel langzaam en al roerend aan de kook. Haal de pan van het vuur, zodra het mengsel begint te borrelen. Laat het afkoelen.
Was de peterselie, verwijder de steeltjes en hak fijn.
Schenk een dun laagje gelei in een cakevorm en zet hem 3 minuten in de vriezer.
Meng de gehakte peterselie en de blokjes kip (of kalkoen) door de rest van de gelei.
Schep de helft van het mengsel in de vorm en zet het 15 minuten in de vriezer.
Doe dan de rest van het mengsel in de vorm en zet het nog eens 2 uur in de koelkast.
Dompel de bodem van de vorm in warm water alvorens de gelei te storten.

Terrine van gevogelte

Voorbereidingstijd: 45 minuten – Bereidingstijd: 1 uur

- 1 kip van circa 1,5 kg
- 2 wortels
- 2 tomaten
- 1 prei
- 1 ui
- 1 takje dragon
- 1 eiwit
- 1 theelepel rozepeperkorrels
- zout en peper

Snijd de kip in stukken. Maak de groenten schoon, hak ze fijn en doe ze – behalve de tomaten – in een pan met 1 liter water. Breng het geheel aan de kook. Voeg de kip toe en zout en peper naar smaak. Verwijder met een schuimspaan het schuim van het oppervlak, leg het deksel op de pan en laat het geheel 1 uur zachtjes koken.
Haal de kip uit de pan, laat uitlekken, haal het vlees van de botten en snijd het fijn.
Snijd de tomaten in vieren, verwijder de zaadjes en snijd het vruchtvlees in blokjes. Leg de stukjes kip in een cakevorm afgewisseld met tomaat en dragon. Breng de bouillon aan de kook en laat hem tot circa 250 ml inkoken.
Klop het eiwit stijf, schep het door de bouillon en laat alles nog 1 minuut koken. Laat de bouillon afkoelen en zeef hem dan door een natgemaakte doek. Schenk hem over de kip en bestrooi het geheel met roze peper. Verdeel een paar stukjes tomaat en een stuk of tien blaadjes dragon over de terrine.
Stort de terrine na een paar uur op een schaal en zet haar in de koelkast tot gebruik.

Kalkoentimbaaltjes

Voorbereidingstijd: 30 minuten – Bereidingstijd: 20 minuten
Voor 2 personen

- 250 g kalkoenschnitzel
- 3 eetlepels magere kwark
- 1 sjalotje, fijngehakt
- 1 eetlepel fijngehakte peterselie
- ½ teen knoflook, gekneusd
- 1 citroen
- zout en peper

Verwarm de oven voor op 180 °C.
Snijd de schnitzels in heel dunne reepjes. Meng in een schaal de kwark, het sjalotje, de gehakte peterselie, gekneusde knoflook, wat citroensap en wat peper en zout.
Vul een aantal vormpjes om en om met laagjes kalkoen en kwarkmengsel en eindig met kalkoen.
Laat het geheel in de oven in 20 minuten au bain-marie gaar worden.
Keer de timbaaltjes om op een bord en serveer ze warm.

Vlees

Amuse met ham

Voorbereidingstijd: 15 minuten – Bereidingstijd: geen
Voor 4 personen

- 170 g magere ham, in reepjes
- 225 g magere verse kaas (hüttenkäse)
- een paar sprietjes bieslook, gehakt
- 4 sjalotjes, fijngesnipperd
- oregano of een ander kruid naar smaak, gehakt
- een paar druppels tabasco

Meng alle ingrediënten goed door elkaar.
Rol kleine balletjes van het mengsel en leg ze op een mooie schaal.

Rundvlees Luc Lac

Voorbereidingstijd: 10 minuten – Bereidingstijd: 10 minuten
Voor 2 personen

- 400 g mager rundvlees
- 2 eetlepels sojasaus
- 1 eetlepel oestersaus
- 1 groot stuk gemberwortel
- 1 druppel olie
- 4 tenen knoflook, gekneusd
- peper
- een paar takjes koriander

Snijd het vlees in dobbelsteentjes van 1 cm en doe ze in een schaal. Voeg de sojasaus, oestersaus, gekneusde gember en peper toe; roer alles goed door. Laat het geheel minstens 30 minuten marineren.
Vet vlak voor het opdienen een koekenpan in met 1 druppel olie en fruit de gekneusde knoflook.
Voeg zodra de knoflook goudgeel wordt en begint te geuren het vlees toe en roerbak het op hoog vuur 10-15 seconden.
Het vlees mag niet te gaar worden en moet nog een beetje rood zijn.
Garneer het geheel met een paar takjes koriander.

Gehaktballetjes met kruiden

Voorbereidingstijd: 30 minuten – Bereidingstijd: 5 minuten per portie
Voor 3 personen

- 1 middelgrote ui, fijngehakt
- 750 g mager rundergehakt
- 2 tenen knoflook, geperst
- 1 ei, losgeklopt
- 2 eetlepel Chinese pruimensaus
- 1 eetlepel worcestersaus
- 2 eetlepels fijngehakte rozemarijn
- 1-2 eetlepels fijngehakte munt (of basilicum)
- zout en peper

Meng in een kom de ui, het rundergehakt, de knoflook, het ei, de sauzen en kruiden. Breng het geheel op smaak met zout en peper.
Rol balletjes van het mengsel ter grootte van een walnoot.
Bak de balletjes – in kleine porties – in een koekenpan met antiaanbaklaag op middelhoog vuur in circa 5 minuten aan alle kanten goudbruin.
Laat ze uitlekken op keukenpapier.
Serveer de gehaktballetjes met een tomatensaus.

Oriëntaalse gehaktballetjes

Voorbereidingstijd: 20 minuten – Bereidingstijd: 20 minuten
Voor 3 personen

- 500 mager kalfsgehakt
- 1-2 kopjes water
- 3 eetlepels sojasaus
- 2 eetlepels sherryazijn
- ½ runderbouillonblokje
- 2 grote tenen knoflook, gesnipperd
- ½ theelepel geschilde en geraspte verse gember
- 2 sjalotjes, fijngesneden
- 1 theelepel maizena
- zout en peper

Rol kleine balletjes van het vlees en bak ze in 7 minuten in een koekenpan met antiaanbaklaag op hoog vuur aan alle kanten goudbruin.
Zet ze apart.

Doe 1 kopje water in een pan en meng er het braadvocht door. Voeg alle andere ingrediënten toe, behalve de maizena.
Roer alles goed door en voeg dan de balletjes toe. Giet er nog wat water bij, zodat de balletjes goed bedekt zijn met saus maar niet onderstaan.
Laat alles op middelhoog vuur in circa 10 minuten goed gaar worden.
Voeg tot slot de in water opgeloste maizena toe om de saus naar smaak te binden.

Victoriaanse kalfskoteletjes

Voorbereidingstijd: 15 minuten – Bereidingstijd: 50 minuten
Voor 2 personen

- 2 kalfskoteletjes
- 500 g tomaten uit blik
- 150 g wortels, geraspt
- 150 g selderij, gehakt
- 1 theelepel gehakt basilicum
- zout en peper

Giet de inhoud van het blik tomaten in een kom. Voeg de wortels, selderij, het basilicum en zout en peper toe. Meng goed.
Leg het vlees tussen twee laagjes van dit mengsel in een kleine ovenschaal.
Laat het geheel in 40-50 minuten gaar worden in een matig warme oven.

Kalfslever met frambozenazijn

Voorbereidingstijd: 15 minuten – Bereidingstijd: 10 minuten
Voor 1 persoon

- 1 kleine ui, in dunne ringen
- 100 g kalfslever
- 1 sjalotje, gehakt
- 1 eetlepel frambozenazijn
- 1 theelepel tijm
- ½ laurierblad
- zout en versgemalen peper

Fruit de ui in een licht ingevette koekenpan met antiaanbaklaag op middelhoog vuur. Zet ze apart.

Vet de pan licht in en leg de plakken lever erin. Bak ze circa 4 minuten aan elke kant. Breng ze op smaak met zout en peper, en zet ze apart (houd ze warm!).
Fruit in dezelfde pan het sjalotje op middelhoog vuur. Voeg de frambozenazijn, tijm en laurier toe en laat het geheel al roerend 2 minuten zachtjes koken. Doe dan de lever weer in de pan en laat hem in het mengsel warm worden. Serveer meteen.

Konijn en papillote

Voorbereidingstijd: 15 minuten – Bereidingstijd: 50 minuten
Voor 2 personen

- 2 heel dunne kalkoenschnitzels
- tijm, laurier, bonenkruid of rozemarijn
- 2 konijnenruggen
- zout en peper

Bak de schnitzels kort op heel hoog vuur in een licht ingevette koekenpan met antiaanbaklaag.
Snijd de konijnenruggen doormidden en omwikkel elk stuk met een halve schnitzel.
Leg de vier rollen op een stuk aluminiumfolie en bestrooi ze met kruiden en zout en peper.
Vouw de folie dicht en leg de pakketjes 50 minuten in een op 220 °C voorverwarmde oven.

Konijn in pikante saus

Voorbereidingstijd: 30 minuten – Bereidingstijd: 1 uur 15 minuten
Voor 4 personen

- 1 konijn
- 1 sjalotje, fijngesneden
- 8 theelepels magere kwark
- 1 eetlepel witte mosterd
- 1 eetlepel kappertjes
- een paar augurken, in plakjes
- zout en peper

Braad het konijn samen met het sjalotje in een licht ingevette braadpan kort op hoog vuur aan alle kanten bruin.
Breng het geheel op smaak met zout en peper, draai het vuur laag, leg het deksel op de pan en laat het 1 uur stoven.
Roer er dan de kwark, mosterd, kappertjes en augurken door.
Laat alles nog enkele minuten doorwarmen. Let op: de saus mag niet koken.

Boerenpaté

Voorbereidingstijd: 20 minuten – Bereidingstijd: 1 uur
Voor 8 personen

- 12 plakjes kalkoenbacon
- 200 g kippenlever
- 250 g magere ham
- 1 ui
- 700 g mager gehakt (5% vet)
- 1 theelepel tijm
- 1 theelepel oregano
- 4 tenen knoflook, geperst
- 4 kruidnagels, gekneusd
- 1 eetlepel gekookte rode port
- 1 snufje nootmuskaat
- peper

Pureer vier plakjes bacon, de lever, ham en ui in een keukenmachine.
Stort het mengsel in een kom en voeg het gehakt toe.
Voeg de knoflook, kruidnagels, port, peper en nootmuskaat toe en meng alles goed.
Bekleed een vorm met de overige plakjes kalkoenbacon; zorg ervoor

dat ze over de rand hangen. Schep het vlees-kruidenmengsel erin en tik met de bodem van de vorm een paar keer op de tafel om eventuele luchtbellen te verwijderen. Vouw de plakjes bacon naar binnen, over het mengsel, dek de vorm af en zet hem 1 uur in een op 200 °C voorverwarmde oven.
Laat het geheel dan 5 minuten rusten, giet eventueel vocht af en laat het helemaal afkoelen.

Kalfsfricandeau met saus

Voorbereidingstijd: 10 minuten – Bereidingstijd: 1 uur
Voor 4 personen

- 1 kg kalfsfricandeau
- 1 teen knoflook
- 1 grote sjalot
- 1 tomaat
- 200 ml kalfsfond
- 1 eetlepel oregano, Provençaalse kruiden en basilicum
- zout en peper

Wrijf de fricandeau in met zout en peper en braad hem op hoog vuur en later middelhoog vuur goudbruin.
Hak intussen de knoflook en sjalot fijn. Snijd de tomaat in stukjes.
Voeg als de fricandeau mooi gekleurd is de kalfsfond toe aan het braadvocht.
Voeg dan de knoflook, sjalot, kruiden en zout en peper toe aan de saus.
Wacht tot de saus wat is ingedikt en doe dan de tomaat erbij. Zorg ervoor dat de saus mooi glad wordt.
Snijd de fricandeau voor het opdienen in plakken en geef de saus er apart bij.

Hamrolletjes

Voorbereidingstijd: 10 minuten – Bereidingstijd: geen
Voor 4 personen

- 1 teen knoflook, fijngehakt
- ½ bosje fijngesneden bieslook
- 8 plakken ham, zonder zwoerd en vet
- 200 g magere kwark
- 8 blaadjes kropsla
- 4 takjes peterselie

Meng in een kom de kwark, knoflook en het bieslook.
Bestrijk de plakken ham met de kwark en rol ze op.
Zet ze 30 minuten in de koelkast, zodat de kwark opstijft.
Versier de borden met twee slablaadjes en leg op elk bedje sla twee rolletjes ham. Leg er een takje peterselie bij als garnering.

Eieren

Roerei met gerookte zalm

Voorbereidingstijd: 10 minuten – Bereidingstijd: 10 minuten
Voor 4 personen

- 100 g gerookte zalm
- 8 eieren
- 80 ml magere melk
- 1 eetlepel magere kwark
- 4 sprietjes bieslook
- zout en peper

Snijd de gerookte zalm in dunne reepjes.
Klop de eieren los in een kom. Doe er wat zout en peper bij. Laat in een pan een bodempje magere melk warm worden. Voeg de geklopte eieren toe en bak ze op laag vuur; roer ze af en toe om met een spatel. Haal de pan van het vuur en meng de zalm en de kwark door de eieren. Garneer het geheel met wat bieslook en serveer meteen.

Roereieren

Voorbereidingstijd: 10 minuten – Bereidingstijd: 10 minuten
Voor 2 personen

- 4 eieren
- ½ glas magere melk
- 1 snufje nootmuskaat
- 2 takjes peterselie (of bieslook), fijngehakt
- zout en peper

Klop de eieren los in een kom. Voeg de melk toe en breng het geheel op smaak met zout en peper.
Strooi er wat nootmuskaat over en laat de eieren op laag vuur al roerend au bain-marie stollen. Bestrooi het geheel met peterselie of bieslook en serveer meteen.

Roerei met krab

Voorbereidingstijd: 10 minuten – Bereidingstijd: 10 minuten
Voor 4 personen

- 6 middelgrote eieren
- 2 eetlepels vissaus
- 100 g krabvlees
- 2 middelgrote sjalotten

Klop de eieren samen met de vissaus los in een kom.
Laat het krabvlees uitlekken en snipper de sjalotten. Fruit de sjalotten 1 minuut in een pan met antiaanbaklaag en roer ze door het eimengsel. Bak dan het krabvlees goudgeel. Meng het door het eimengsel.
Laat dan het eimengsel in 3-5 minuten warm worden op middelhoog vuur, tot de eieren gestold maar niet bruin zijn. Haal de pan van het vuur en serveer meteen.

Ei-zalmtaartjes

Voorbereidingstijd: 10 minuten – Bereidingstijd: 5 minuten
Voor 6 personen

- 12 theelepels magere kwark
- dragon of kervel, gehakt
- 2 mooie plakken gerookte zalm
- 6 eieren
- zout en peper

Snijd de plakken zalm in drie stukken en snijd de stukken in reepjes. Schep in zes vuurvaste schaaltjes een theelepel kwark, strooi er wat kruiden op, voeg de zalmreepjes toe en breek er een ei bovenop.
Zet de schaaltjes in een pan gevuld met kokend water (au bain-marie). Dek het geheel af en laat het 3-5 minuten koken op middelhoog vuur.
U kunt de zalm ook vervangen door ham, rookvlees of een andere vorm van eiwitten naar smaak.

Hardgekookte eieren met kerriesaus

Voorbereidingstijd: 10 minuten – Bereidingstijd: 10 minuten
Voor 1 persoon

- ½ ui, fijngehakt
- 8 eetlepels magere melk
- 1 snufje maizena
- 1 theelepel kerriepoeder
- 2 hardgekookte eieren
- zout en peper

Doe de ui en de helft van de melk in een pan en laat het mengsel op middelhoog vuur – onder af en toe roeren – circa 10 minuten zachtjes koken.
Voeg de maizena en de rest van de melk toe, en blijf goed roeren. Breng het geheel op smaak met zout en peper, en voeg het kerriepoeder toe. Snijd de hardgekookte eieren in plakjes en schik ze op een bord. Schenk de saus erover.

Eieren gevuld met makreel

Voorbereidingstijd: 15 minuten – Bereidingstijd: geen
Voor 4 personen

- 4 hardgekookte eieren
- 1 blikje makreel in witte wijn
- 4 eetlepels magere verse kaas (bijv. petit-suisse)
- mosterd
- zout en peper

Snijd de eieren overlangs doormidden. Haal de dooiers eruit en doe ze in een kom. Zet de uitgeholde eiwitten apart. Laat de makreel uitlekken en meng hem met de eidooiers in de kom, samen met de kaas, mosterd en zout en peper. Prak alles met een vork goed door elkaar.
Schep het mengsel met een grote lepel in de uitgeholde eieren en zet ze koel weg tot gebruik.

Omelet met tonijn

Voorbereidingstijd: 10 minuten – Bereidingstijd: 10 minuten
Voor 4 personen

- 2 ansjovisfilets
- 8 eieren
- 1 blikje tonijn in water (ca. 200 g)
- 1 eetlepel gehakte peterselie
- peper

Snijd de ansjovis in dunne reepjes. Klop de eieren los in een kom en voeg de ansjovisreepjes en de geprakte tonijn toe. Breng het geheel op smaak met peper en peterselie. Bak de omelet in een licht ingevette koekenpan met antiaanbaklaag op middelhoog vuur. Serveer meteen.

Omelet met tofoe

Voorbereidingstijd: 15 minuten – Bereidingstijd: 5 minuten
Voor 4 personen

- 2 eieren
- 2 eetlepels sojasaus
- 1 teen knoflook, gesnipperd
- ½ ui, fijngehakt
- 400 g tofoe, in blokjes
- ½ groene paprika, gehakt
- 1 eetlepel fijngehakte peterselie
- peper

Klop de eieren samen met de kruiden los in een kom.
Voeg de tofoe en paprika toe en meng alles goed.
Schenk het mengsel in een koekenpan. Leg het deksel op de pan en laat de omelet op laag vuur stollen.
Bestrooi het geheel met peterselie en serveer meteen.

Surimibrood

Voorbereidingstijd: 10 minuten – Bereidingstijd: 30 minuten
Voor 2 personen

- 300 g surimi
- 8 eieren
- 1 blikje tomatenpuree
- 3 eetlepels magere kwark
- een paar takjes peterselie
- zout en peper

Meng alle ingrediënten goed. Doe ze in een vorm en zet het geheel 30 minuten in een op 160 °C voorverwarmde oven.
Serveer het surimibrood koud.

Krabkoekjes

Voorbereidingstijd: 10 minuten – Bereidingstijd: 45 minuten
Voor 5 personen

- 200 g gerookte zalm, in blokjes
- 2 eieren
- 1 eetlepel maizena
- 350 ml magere melk
- 1 blikje krab, uitgelekt
- 1 mespuntje visfond
- zout en peper

Verdeel de blokjes gerookte zalm over vijf schaaltjes.
Los de maizena op in de melk, voeg de eieren en de krab toe, en klop alles goed door. Breng het geheel op smaak met zout, peper en een mespuntje visfond. Schenk het mengsel in de vijf schaaltjes over de zalm en zet het geheel 45 minuten au bain-marie in een op 180 °C voorverwarmde oven.

Soep met eidooier

Voorbereidingstijd: 10 minuten – Bereidingstijd: 10 minuten
Voor 4 personen

- 8 eieren
- 1,5 l runderbouillon
- zout en peper

Splits de eieren. Doe de dooiers in een kom en giet er al kloppend 400 ml bouillon bij. Klop net zolang tot het mengsel glad is, haal het dan door een zeef en giet het opnieuw in de pan. Verwarm het geheel au bain-marie. Haal de pan van het vuur zodra het mengsel gestold is en laat het afkoelen.
Snijd het mengsel in plakken en dan in reepjes en verdeel ze over vier soepborden of -kommen. Verwarm de rest van de bouillon op laag vuur en breng hem indien nodig op smaak.
Schenk de hete soep in de borden en serveer meteen.

Quiche

Voorbereidingstijd: 15 minuten – Bereidingstijd: 20 minuten
Voor 2 personen

- 6 eetlepels magere kwark
- 3 geklutste eieren
- 2 plakken kalkoenham, in stukjes
- ½ ui, gehakt
- 1 snufje nootmuskaat
- zout en peper

Meng alle ingrediënten.
Schep het mengsel in een licht ingevette taartvorm en zet het 20 minuten in een op 240 °C voorverwarmde oven.

Hamsoufflé

Voorbereidingstijd: 15 minuten – Bereidingstijd: 45 minuten
Voor 4 personen

- 200 ml magere melk
- 20 g maizena
- 4 eieren
- 400 g magere kwark
- 200 g magere gekookte ham
- zout en peper
- 1 snufje nootmuskaat

Verwarm de oven voor op 210 °C.
Meng de maizena en de koude melk.
Splits de eieren. Klop de dooiers door de kwark, giet de melk er al roerend bij tot er een smeuïg beslag ontstaat. Voeg dan de in reepjes gesneden ham toe. Breng het geheel op smaak met zout en peper, en een snufje nootmuskaat.
Klop de eiwitten heel stijf en spatel ze voorzichtig door het hammengsel.
Schep het mengsel in een soufflévorm met antiaanbaklaag en voeg indien nodig nog wat zout en peper toe.
Zet de hamsoufflé 45 minuten in de oven.

Terrine van eieren met zalm

Voorbereidingstijd: 30 minuten – Bereidingstijd: 10 minuten
Voor 8-10 personen

- 10 eieren
- 2 kopjes gehakte kruiden (peterselie, bieslook, dragon)
- 4 dikke plakken gerookte zalm
- 300 g gelei uit blik (of bereid met zakjes poeder)
- mayonaise Dukan

Maak dit recept een dag van tevoren klaar.
Kook de eieren hard (10 minuten in kokend water). Laat ze afkoelen en hak ze met een mes fijn. Meng de eieren met de helft van de kruiden.

Leg afwisselend laagjes ei en zalm in een terrine of cakevorm. Laat de gelei smelten en giet hem over de eieren. Laat het geheel 24 uur opstijven in de koelkast.
Meng de mayonaise met de rest van de kruiden.
Serveer de terrine in plakken gesneden met de kruidenmayonaise.

Vis, schaal- en schelpdieren

Agar-agar van vis

Voorbereidingstijd: 15 minuten – Bereidingstijd: 9 minuten
Voor 2 personen

- 250 ml water
- 1 visbouillonblokje opgelost in een glas water (150 ml)
- 2 g agar-agarpoeder
- 3 witvisfilets
- citroensap
- zout en peper

Verwarm de bouillon, het agar-agarpoeder en zout en peper op laag vuur. Voeg na 5 minuten de visfilets toe, leg het deksel op de pan en laat de vis in 4 minuten gaar worden.
Mix het geheel fijn in een keukenmachine, stort het in een cakevorm en sprenkel er nog wat citroensap over.
Laat het afkoelen en zet het dan weg in de koelkast.
Serveer dit gerecht met een lauwwarme tomatencoulis.

Rogvleugel met fijne kruiden

Voorbereidingstijd: 25 minuten – Bereidingstijd: 5 minuten
Voor 2 personen

- 1 vrij dikke rogvleugel
- ½ glas azijn (70 ml)
- 1 grote bos fijne kruiden (bieslook, peterselie, dragon, enz.)
- zout en peper

VOOR DE SAUS:

- 1 citroen (voor het sap en voor de garnering)
- 1 eetlepel gehakte fijne kruiden
- zout en peper

Was de rogvleugel in ruim water. Leg hem op een bedje van kruiden in het mandje van een snelkookpan. Breng het geheel op smaak met zout en peper. Strooi ook wat kruiden over de vis.
Giet twee glazen water met azijn in de pan. Zet het mandje in de hoogste stand. Sluit de snelkookpan, laat hem op druk komen en reken dan 5 minuten kooktijd.

Wanneer de vis gaar is, verwijder dan de kruiden en de huid. Til de bovenste filet van de graat en leg hem op een bord. Draai de vis om en doe hetzelfde met de andere kant. Serveer de vis heel warm. Breng hem op smaak met zout en peper, sprenkel er wat citroensap over, bestrooi hem met fijne kruiden en geef er partjes citroen bij.

Rogvleugel op z'n creools

Voorbereidingstijd: 25 minuten – Bereidingstijd: 20 minuten
Voor 2 personen

- 300 g rog
- 25 g geleipoeder
- 1 limoen
- 5-6 blaadjes munt
- 150 g kropsla

VOOR DE COURT-BOUILLON:

- 1 teen knoflook
- 1 ui met een kruidnagel erin geprikt
- tijm
- 1 wortel
- zout en peper

Doe de rog in een pan met water samen met de ingrediënten voor de court-bouillon. Leg het deksel op de pan en laat het geheel 20 minuten op middelhoog vuur koken. Laat de rog uitlekken en afkoelen.
Verwijder de huid en het kraakbeen van de vis en verdeel het vlees in stukjes. Haal de bouillon door een heel fijne zeef. Los 25 g geleipoeder op in 500 ml court-bouillon. Voeg de stukjes rog toe, roer alles goed door en laat het mengsel afkoelen. Verdeel het dan over twee cakevormen en zet ze 2 uur in de koelkast.
Dompel de bodem van de vormen even in warm water en stort ze dan op twee borden die bedekt zijn met de slablaadjes.
Serveer het gerecht koud en garneer het met partjes limoen en muntblaadjes.

Kabeljauwcurry

Voorbereidingstijd: 20 minuten – Bereidingstijd: 30 minuten
Voor 4 personen

- 700 g kabeljauw
- 1 ui, fijngehakt
- 3 tenen knoflook, geperst
- 4 gedroogde chilipepers, fijngesneden
- 4 rocotillo-pepers, fijngesneden
- 1 theelepel korianderzaad
- 1 theelepel kurkuma
- 1 theelepel komijn
- 500 g tomaten
- 4 eetlepels water
- 3 eetlepels citroensap
- zout en peper

Maak de vis schoon, haal de graten eruit, spoel hem af onder koud stromend water en snijd hem in blokjes.
Bak de ui, knoflook en pepers in een licht ingevette pan met antiaanbaklaag op middelhoog vuur.
Voeg de specerijen toe en bak ze 5 minuten mee.
Meng dan de geprakte tomaten erdoor, evenals het water en citroensap.
Breng alles aan de kook. Zet het vuur lager, leg het deksel op de pan en laat het geheel 15 minuten zachtjes koken.
Voeg dan de blokjes kabeljauw toe. Breng het geheel op smaak met zout en peper, en laat het nog 10 minuten sudderen.

Kabeljauw met kruiden

Voorbereidingstijd: 20 minuten – Bereidingstijd: 15 minuten
Voor 4 personen

- 1 sjalotje
- 1 ui
- 1 bosje fijne kruiden
- 4 kleine chilipepers
- 1 rode paprika
- 4 kabeljauwfilets (ca. 600 g)
- 1 citroen
- zout en peper

Verwarm de oven voor op 210 °C.
Hak het sjalotje en de ui fijn en meng er de gesnipperde kruiden door. Schil de citroen en pers hem uit. Snijd de pepers doormidden. Snijd de paprika in vieren en verwijder de zaadlijsten.
Knip vier rechthoeken aluminiumfolie af. Leg op elk stuk folie een kabeljauwfilet. Voeg naar smaak zout en peper toe. Leg een stuk paprika op de vis, een dun laagje van het ui-knoflookmengsel en een half pepertje. Besprenkel het geheel met citroensap. Vouw de randen van de folie dicht. Leg de pakketjes op een bakplaat en laat ze in 15 minuten in de oven gaar worden.

Kabeljauw met mosterdsaus

Voorbereidingstijd: 10 minuten – Bereidingstijd: 10 minuten
Voor 1 persoon

- 1 mooie kabeljauwfilet
- 125 g magere yoghurt
- 1 eetlepel mosterd
- citroensap
- 2 eetlepels kappertjes
- 1 bosje peterselie
- zout en peper

Bestrooi de kabeljauwfilet met zout en stoom hem in 8-10 minuten (afhankelijk van de dikte) gaar.
Doe intussen de yoghurt, mosterd, het citroensap, de kappertjes, gehakte peterselie en peper in een pan. Laat het geheel op laag vuur warm worden.
Leg de gestoomde vis op een bord en giet de saus erover.
Serveer heel warm.

Calamaris op z'n Provençaals

Voorbereidingstijd: 20 minuten – Bereidingstijd: 55 minuten
Voor 4 personen

- 1-2 uien, gesnipperd
- 2 blikken gepelde tomaten
- 1 paprika, in blokjes
- 2-3 tenen knoflook, gesnipperd
- 1 bouquet garni
- 1 Spaanse peper
- 500 g inktvisringen
- zout en peper

Fruit de gesnipperde ui in een licht ingevette koekenpan op middelhoog vuur.
Voeg de gepelde tomaten, paprika, knoflook, het bouquet garni, de gekneusde peper en zout en peper toe. Leg het deksel op de pan en laat het geheel 10 minuten op laag vuur zachtjes koken.
Maak de inktvisjes schoon. Doe ze in de saus, dek de pan weer af en laat het geheel nog eens 45 minuten op laag vuur sudderen.

Sint-jakobsschelpen

Voorbereidingstijd: 15 minuten – Bereidingstijd: 15 minuten
Voor 2 personen

- 4 theelepels magere kwark
- 2 sjalotjes, gesnipperd
- 6-8 sint-jakobsschelpen
- 200 g zuring
- zout en peper

Verwarm de kwark en sjalotjes in een licht ingevette koekenpan.
Sauteer de gekruide sint-jakobsschelpen op hoog vuur. Zet het vuur dan lager. Zet de sint-jakobsschelpen apart.
Doe de gewassen zuring in de koekenpan en bak hem 10 minuten op middelhoog vuur.
Verdeel de zuring over de borden, leg de sint-jakobsschelpen erop en schenk de saus erover.

Zalmhart

Voorbereidingstijd: 10 minuten – Bereidingstijd: 45 minuten
Voor 3 personen

- 420 g koolvis
- 3 eieren
- 100 g magere kwark
- 10 g maizena
- 100 ml water
- 140 g zalmfilet
- zout en peper

Verwarm de oven voor op 210 °C.
Pureer de koolvis met de eieren, kwark, zout en peper en de in wat koud water opgeloste maizena.
Stort het mengsel in een cakevorm van 22 cm.
Leg de zalmfilet midden in het mengsel.
Zet het geheel 45 minuten in de oven.

Tonijnpannetje

Voorbereidingstijd: 10 minuten – Bereidingstijd: 25 minuten
Voor 2 personen

- 500 ml water
- 1 blikje tonijn in water (ca. 200 g)
- 1 ui
- 1 teen knoflook
- 300 g courgette
- 3 eetlepels tomatenpuree
- zout en peper

Verwarm het water met wat zout in een pannetje. Versnipper de tonijn. Pel en hak de ui en knoflook. Was en schil de courgettes en snijd ze in plakjes. Doe de tonijn, ui, knoflook, courgette en tomatenpuree in het water en strooi er nog wat peper bij.
Leg het deksel op de pan en laat het geheel 25 minuten sudderen.

Dorade op geraffineerde wijze

Voorbereidingstijd: 15 minuten – Bereidingstijd: 10 minuten
Voor 1 persoon

- 150 g doradefilet
- 1 mespuntje saffraan
- 150 g magere kwark
- zout en peper

Leg de visfilets in een ovenschaal. Breng ze op smaak met zout en peper. Bestrijk ze met een mengsel van kwark en saffraan, en dek ze af met aluminiumfolie.
Zet het geheel 10 minuten in een op 210 °C voorverwarmde oven.

Dorade in zoutkorst

Voorbereidingstijd: 10 minuten – Bereidingstijd: 1 uur 30 minuten
Voor 4 personen

- 1 dorade van 1 à 1,5 kg
- 5 kg grof zeezout

Haal de ingewanden uit de vis, maar verwijder de schubben niet.
Verwarm de oven voor op 250 °C.
Gebruik een hoge, ovenvaste pan die net iets groter is dan de vis. Bedek de bodem en wanden met aluminiumfolie en de bodem met een laagje (circa 3 cm) grof zeezout. Leg de dorade erbovenop en bedek hem met de rest van het zout – de vis moet helemaal bedekt zijn. Zet het geheel 1 uur in de oven en verlaag de oventemperatuur dan naar 180 °C. Laat de vis nog 30 minuten in de oven. Keer de inhoud van de pan op een snijplank.
Breek de zoutkorst met een hamer.

Dorade en papillote met uiencompote

Voorbereidingstijd: 20 minuten – Bereidingstijd: 15 minuten
Voor 1 persoon

- 1 grote ui
- 2 doradefilets
- 1 eetlepel gehakte peterselie
- zout en peper

Pel en snipper de ui. Fruit hem op laag vuur in een licht ingevette pan met antiaanbaklaag: de ui mag niet verkleuren.
Verwarm de oven voor op 180 °C.
Knip twee vellen bakpapier af, verdeel de ui erover en leg dan op elk stuk papier een doradefilet. Breng het geheel op smaak met zout en peper, en peterselie.
Vouw het bakpapier dicht en leg de pakketjes in een ovenschaal. Zet het geheel 15 minuten in de oven.

Gebakken zalmschnitzels met mosterdsaus

Voorbereidingstijd: 20 minuten – Bereidingstijd: 15 minuten
Voor 4 personen

- 4 zalmfilets à 200 g
- 2 sjalotjes
- 1 eetlepel milde mosterd
- 6 theelepels magere kwark
- gehakte dille
- zout en peper

Leg de zalm een paar minuten in de vriezer om hem in dunne plakjes te kunnen snijden van elk 50 g.
Bak de plakjes zalm in een koekenpan met antiaanbaklaag op middelhoog vuur aan beide zijden in 1 minuut goudbruin. Zet ze apart en houd ze warm.
Pel en hak de sjalotjes. Fruit ze in dezelfde pan en roer er de mosterd en kwark door. Laat het geheel op laag vuur in 5 minuten dik worden.
Bak de zalm en de gehakte dille kort mee in de pan.
Serveer meteen.

Gestoomde zeebaarsfilet met kaneel en munt

Voorbereidingstijd: 10 minuten – Bereidingstijd: 10 minuten
Voor 4 personen

- 3 takjes verse munt
- ½ theelepel kaneelpoeder
- 2 kaneelstokjes
- 4 zeebaarsfilets met huid
- 10 g grof zeezout
- ½ citroen
- zout en peper

Verwarm in een stoompan het water met de verse munt en het kaneelpoeder. Houd een paar blaadjes munt achter voor de garnering.
Laat de filets 10 minuten stomen in het bovenste deel van de stoompan.
Schik de vis op een bord en sprenkel er wat citroensap over. Garneer het geheel met blaadjes munt en een half kaneelstokje.

Kabeljauwfilet met sjalotjes en mosterd

Voorbereidingstijd: 20 minuten – Bereidingstijd: 15 minuten
Voor 2 personen

- 4 sjalotjes
- 50 g magere kwark
- 1 eetlepel mosterd
- 2 eetlepels citroensap
- 400 g kabeljauwfilet
- zout en peper

Verwarm de oven voor op 180 °C.
Hak de sjalotjes fijn. Doe ze in een pan met 1 eetlepel water en laat ze zacht en glazig worden.
Meng de kwark met de mosterd, het citroensap en zout en peper.
Verdeel de sjalotjes over de bodem van een ovenschaal. Leg de kabeljauw erop en schenk de kwarksaus erover. Zet het geheel circa 15 minuten in de oven.

Indiase koolvis

Voorbereidingstijd: 20 minuten – Bereidingstijd: 7 minuten
Voor 2 personen

- 1 zakje court-bouillon
- 300 g koolvisfilet
- 1 middelgrote ui
- 1 eidooier
- ½ theelepel kerriepoeder
- 1 snufje saffraan
- 1 eetlepel gehakte peterselie
- zout en peper

Breng 250 ml water en de inhoud van het zakje court-bouillon aan de kook. Voeg de koolvisfilets toe en pocheer de vis circa 5 minuten.
Pel intussen de ui en fruit hem in een licht ingevette pan met antiaanbaklaag. Giet er een kopje bouillon bij en laat hem 2 minuten inkoken. Voeg het met wat vocht verdunde eidooier toe. Laat het mengsel langzaam dik worden en breng het op smaak met zout en peper. Voeg dan het kerriepoeder en de saffraan toe en roer alles goed door.
Leg de koolvisfilets op een voorwarmde schaal en schenk de saus erover. Bestrooi het geheel met gehakte peterselie.

Wijtingfilet op z'n Normandisch

Voorbereidingstijd: 20 minuten – Bereidingstijd: 22 minuten
Voor 2 personen

- 150 g mosselen met schelp
- 300 g wijtingfilet
- 1 laurierblad
- een paar takjes tijm
- 1 theelepel gehakte knoflook
- 1 theelepel tomatenpuree
- 4 theelepels magere kwark
- zout en peper

Kook de mosselen 8-10 minuten in een afgesloten pan met water tot ze opengaan. Haal ze uit de schelp en houd 100 ml van het kookvocht apart. Doe de wijtingfilet met het laurierblad, de tijm, knoflook en het mosselvocht in een pan en laat het geheel dan 10 minuten op laag vuur zachtjes koken.

Haal de vis uit de pan en voeg de tomatenpuree, kwark en mosselen toe. Laat het geheel nog 2 minuten op heel laag vuur sudderen en schep het mengsel over de vis.

Scholfilet

Voorbereidingstijd: 10 minuten – Bereidingstijd: 2 minuten
Voor 1 persoon

- 200 g scholfilet
- 1 tomaat
- 1 teen knoflook, gehakt
- wat kappertjes
- 4 blaadjes basilicum

Leg de scholfilet in een magnetronschaal. Hak de tomaat fijn.
Meng in een andere schaal de tomaat, knoflook, kappertjes en het basilicum.
Verdeel het mengsel over de vis en dek het af met folie.
Zet de schaal 2 minuten op de hoogste stand in de magnetron.

Scholfilet met zuring

Voorbereidingstijd: 20 minuten – Bereidingstijd: 4 minuten
Voor 2 personen

- 4 scholfilets
- 2 citroenen, uitgeperst
- 10 kleine blaadjes zuring, gehakt
- zout en peper

Was de filets en dep ze droog. Laat ze minstens 2 uur in het citroensap met de gehakte zuring marineren en laat ze dan uitlekken.
Bak de gemarineerde filets aan beide zijden in een pan met antiaanbaklaag. Breng ze op smaak met peper en zout, en sprenkel er nog wat marinade over.
Serveer meteen.

Garnalentaart

Voorbereidingstijd: 10 minuten – Bereidingstijd: 30 minuten
Voor 2 personen

- 4 eieren
- 500 g magere kwark
- 300 g gepelde garnalen
- zout en peper

Klop de eieren los in een kom, voeg zout en peper toe, en roer de kwark en de garnalen erdoor.
Schenk het mengsel in een bakvorm en zet het 30 minuten in een op 200 °C voorverwarmde oven.

Vistaart

Voorbereidingstijd: 10 minuten – Bereidingstijd: 45 minuten
Voor 1 persoon

- 3 eieren
- 6 eetlepels magere hangop, goed uitgelekt
- 1 eetlepel maizena
- knoflook, peterselie, bieslook
- 1 mooie visfilet (kabeljauw of koolvis)
- 3 staafjes surimi
- zout en peper

Splits de eieren.
Klop het eiwit stijf en meng het dan voorzichtig weer door de dooiers. Voeg dan de kwark, de maizena, knoflook, peterselie en het bieslook toe, en roer alles goed door. Snipper de vis en snijd de surimi in plakjes en meng ze door het ei-kruidenmengsel. Breng het geheel op smaak met zout en peper.
Schep het mengsel in een met bakpapier beklede vorm en zet het dan 45 minuten in een op 130 °C voorverwarmde oven.

Rauwe tonijnreepjes

Voorbereidingstijd: 15 minuten – Bereidingstijd: geen
Voor 1-2 personen

- 300 g tonijn
- 1 eetlepel sojasaus
- 1 eetlepel citroensap
- 1 eetlepel paraffineolie met dragon
- een paar druppels tabasco
- 1 eetlepel fijngehakte fijne kruiden
- zout
- 1 citroen, in partjes (voor de garnering)

Laat de vis licht opvriezen en snijd hem dan in heel dunne plakjes. Meng voor de marinade de overige ingrediënten in een kom. Wentel de vis er goed door.
Serveer de tonijn op een schaal en garneer het geheel met citroen.

Koolvis met kappertjes

Voorbereidingstijd: 25 minuten – Bereidingstijd: 10 minuten
Voor 2 personen

- 4 moten koolvis
- 1 laurierblad
- 125 g magere yoghurt
- 1 eidooier
- 2 eetlepels citroensap
- 2 eetlepels kappertjes
- 1 eetlepel bladpeterselie
- 1 eetlepel bieslook
- 3 peperkorrels
- zout

Dep de moten vis droog en leg ze in een grote pan met antiaanbaklaag. Voeg het laurierblad en zout en peper toe. Zet alles onder water. Breng het op laag vuur tegen de kook aan en laat het 10 minuten sudderen. Doe de yoghurt in een steelpan en verwarm hem op laag vuur. Meng in een kom de eidooier met het citroensap en roer dit mengsel al kloppend door de yoghurt. Hak de kappertjes, peterselie en bieslook fijn en roer ze door het kwarkmengsel. Laat de vis uitlekken en leg hem op een schaal. Schenk de saus erover.

Makreel op z'n Bretons

Voorbereidingstijd: 30 minuten – Bereidingstijd: 30 minuten
Voor 3 personen

- 3 sjalotjes
- 1 bosje peterselie
- 2 eetlepels bieslook
- 6 makrelen
- 6 eetlepels ciderazijn

Hak de sjalotjes, peterselie en bieslook fijn en zet ze apart.
Haal de vissen leeg via de kieuwen en spoel ze vanbinnen schoon. Snijd de staart en vinnen eraf.
Knip zes vellen aluminiumfolie af en leg op elk stuk folie een vis. Vul de vissen met de fijngehakte kruiden en giet er wat azijn over. Vouw de folie dicht en leg de pakketjes circa 30 minuten op de barbecue of zet ze in een voorverwarmde oven op 190 °C.

Tonijnslaatje

Voorbereidingstijd: 10 minuten – Bereidingstijd: geen
Voor 2 personen

- 2 blikjes tonijn in water (ca. 480 g)
- 1 theelepel fijngehakte kappertjes
- 40 g ui, gehakt
- 1 eetlepel peterselie
- 3 snufjes kerriepoeder
- een paar druppels tabasco

Laat de tonijn uitlekken en meng alle ingrediënten. Werk de tonijn er met een vork door.
Serveer het tonijnslaatje koud.

Sint-jakobsmousse

Voorbereidingstijd: 15 minuten – Bereidingstijd: 15 minuten
Voor 4 personen

- 8 sint-jakobsschelpen
- 200 g magere kwark
- 2 eieren
- zout en peper

Pureer de sint-jakobsschelpen samen met de kwark. Splits de eieren. Voeg de eidooier toe aan het mengsel en breng het dan op smaak met zout en peper. Klop de eiwitten stijf en spatel ze voorzichtig door het mengsel.
Verdeel het mengsel over vier vuurvaste schaaltjes en stoom het in 15 minuten gaar. Haal de mousse uit de vormpjes en serveer hem warm met een (magere) roomsaus met citroen.

Omelet(jes) met zeevruchten

Voorbereidingstijd: 20 minuten – Bereidingstijd: 30 minuten
Voor 2 personen

- 2 eieren
- 250 ml magere melk
- 1 blikje garnalen
- 1 blikje krab
- 1 blikje mosselen
- zout en peper

Klop de eieren los in een kom met de melk.
Laat de zeevruchten uitlekken en schep ze door het eimengsel.
Breng het geheel op smaak met zout en peper. Schenk het mengsel in twee vuurvaste schaaltjes.
Zet de schaaltjes 30 minuten au bain-marie in een op 210 °C voorverwarmde oven.

Visbrood

Voorbereidingstijd: 10 minuten – Bereidingstijd: 40 minuten
Voor 2 personen

- 1,5 blikje tonijn in water (ca. 300 g)
- 75 g maizena
- 3 eieren
- ½ glas magere melk (100 ml)
- 1 zakje gist
- zout en peper

Verdeel de tonijn in stukken en meng hem met de andere ingrediënten. Schenk het mengsel in een cakevorm en zet het geheel 40 minuten in een op 200 °C voorverwarmde oven.
Serveer het visbrood koud en geef er een tomatensaus, mayonaise Dukan of een cocktailsaus bij.

Vis uit de oven

Voorbereidingstijd: 15 minuten – Bereidingstijd: 55 minuten
Voor 4 personen

- 800 g visfilet (dorade, kabeljauw of koolvis)
- 300 g magere kwark
- 4 eieren
- 5 eetlepels gehakte kruiden (peterselie, dragon, bieslook)
- zout en peper

Leg de visfilets op stukjes bakpapier en breng ze op smaak met zout en peper. Vouw het papier dicht en bak de pakketjes 10 minuten in een op 210 °C voorverwarmde oven. Pureer de gare filets in een keukenmachine samen met de kwark, eieren, kruiden en zout en peper.
Maak een bakvorm vochtig en schep het mengsel erin. Bak het geheel au bain-marie circa 45 minuten in de oven op 180 °C.

Rog met witte saus

Voorbereidingstijd: 20 minuten – Bereidingstijd: 10 minuten
Voor 2 personen

- 2 rogvleugels
- 3 laurierblaadjes
- 2 eetlepels dragonazijn
- 1 sjalotje
- 30 g kappertjes
- 100 g magere kwark
- zout en peper

Pocheer de rog met de laurier in 750 ml water met azijn. Houd het geheel 8-10 minuten tegen de kook aan. Fruit intussen het sjalotje met wat azijn, zout en peper. Draai wanneer het sjalotje begint te karamelliseren het vuur zo laag mogelijk en voeg de kappertjes en kwark toe. Roer alles langzaam door en laat de saus niet te warm worden.
Verwijder de huid van de rog en serveer hem met de witte saus.

Makreelballetjes

Voorbereidingstijd: 20 minuten – Bereidingstijd: 20 minuten
Voor 4 personen

- 2 bouillonblokjes
- 2 citroenen
- 5 eetlepels mosterd met groene peper
- 1 kg makreel
- peterselie (of bieslook)
- grijs zeezout

Maak 1 liter bouillon ruim van tevoren klaar, zodat hij kan afkoelen.
Maak de vissen schoon, was ze en verwijder het zwarte vliesje aan de binnenkant. Leg de vissen in de koude bouillon met het zeezout.
Verhit het geheel op hoog vuur en zet het vuur uit zodra het mengsel begint te borrelen. Leg het deksel op de pan en laat het 5 minuten rusten. Haal de makreel uit de pan en laat hem afkoelen. Snijd de huid los met een mes en haal dan de filets van de graat. Prak de filets in een kom met een vork fijn.

Voeg de met azijn verdunde mosterd en de fijngehakte peterselie of het bieslook toe en roer alles goed door. Schep deze mousse in kleine aardewerken potjes en garneer het geheel met partjes citroen en takjes peterselie.

Rol van gerookte zalm

Voorbereidingstijd: 10 minuten – Bereidingstijd: 4 minuten per omelet
Voor 3 personen

- 3 eieren
- 3 eetlepels water
- 3 theelepels maizena
- 250 g magere kwark
- 2 eetlepels gehakt bieslook
- 1 eetlepel gehakte gember
- 100 g gerookte zalm, gehakt
- een paar takjes peterselie
- peper

Meng 1 ei, 1 eetlepel water, 1 theelepel maizena en bak er een dunne omelet van.
Maak op dezelfde manier nog twee omeletten. Bestrijk elke omelet met wat kwark en strooi er bieslook, gember en zalm over. Breng het geheel op smaak met peper.
Rol elke omelet strak in een vel huishoudfolie. Zet ze 3 uur in de koelkast. Snijd ze met een scherp mes in plakjes en garneer het geheel met peterselie.

Gevulde zalm

Voorbereidingstijd: 30 minuten – Bereidingstijd: 40 minuten
Voor 6 personen

- 1 bosje bladpeterselie
- 1 bosje koriander
- ½ chilipeper
- 5 stengels citroengras
- 2 bosjes lente-uitjes
- 4 tenen knoflook
- 1 citroen
- 1 theelepel komijn
- 1 theelepel versgeraspte gember
- 1 glaasje witte wijn (100 ml)
- 1 zalm van ongeveer 1,5 kg zonder middengraat
- 2 eieren
- zout en peper

Hak de peterselie, koriander, chilipeper, het citroengras, de lente-uitjes en knoflook fijn.
Schil de citroen en snijd hem in dunne reepjes.
Meng alles in een kom en roer ook de komijn en gember erdoor. Voeg tot slot de witte wijn toe en zet het geheel enkele uren in de koelkast.
Snijd de zalm open en bestrooi hem met zout en peper.
Vul de buik van de vis met de marinade.
Leg de vis op een met bakpapier beklede bakplaat en zet hem 40 minuten in een op 180 °C voorverwarmde oven.

Gerookte zalm met verse kaas

Voorbereidingstijd: 5 minuten – Bereidingstijd: geen
Voor 2 personen

- 300 g magere kwark
- 120 g magere verse kaas (bijv. petit-suisse)
- 1 potje zalmkuit
- 4 plakken gerookte zalm
- zout en peper

Klop de kwark en de verse kaas door elkaar. Werk er voorzichtig de zalmkuit door en breng het geheel op smaak met zout en peper.
Strijk wat van het mengsel over elke plak zalm. Rol de plakken op en

bind ze vast met een sprietje bieslook of een prikker. Zet ze tot gebruik in de koelkast.
Garneer het geheel met wat zalmeitjes en geef er blini's à la Dukan bij.

Garnalentartaar

Voorbereidingstijd: 10 minuten – Bereidingstijd: geen
Voor 2 personen

- 5 takjes dille
- 6 eetlepels mayonaise Dukan
- 250 g gekookte en gepelde roze garnalen
- 2 snufjes paprikapoeder
- peper

Was en hak de dille heel fijn. Meng hem door de mayonaise.
Hak de garnalen grof.
Roer ze door de mayonaise. Bestrooi het geheel met paprikapoeder.
Meng alles nogmaals goed en strooi er wat peper over.

Pittige doradetartaar

Voorbereidingstijd: 15 minuten – Bereidingstijd: geen
Voor 4 personen

- 1,2 kg dorade
- 2 citroenen
- 3 jonge uitjes
- 1 komkommer
- 1 bosje kruiden (bladpeterselie, dille, kervel, bieslook)
- een paar druppels tabasco
- zout en peper

Pureer de vis grof in een keukenmachine en pers de citroenen uit. Pel en hak de uien. Schil de komkommer en snijd hem in kleine blokjes.
Was en hak de kruiden.
Meng alle ingrediënten in een grote kom. Breng het geheel op smaak met zout, peper en tabasco.

Tartaar van zeewolf met limoen

Voorbereidingstijd: 20 minuten – Bereidingstijd: geen
Voor 2 personen

- 2 sjalotjes
- een paar sprietjes bieslook
- 400 g zeewolffilet
- 4 limoenen
- 125 g magere kwark
- ½ citroen
- zout en peper

Hak de sjalotjes fijn, knip het bieslook fijn, verdeel de vis met een mes in stukjes. Meng alles goed en breng het geheel op smaak met zout en peper.
Verdeel het mengsel over twee borden en garneer het dan met schijfjes limoen.
Klop de kwark los, voeg naar smaak zout en peper en het sap van een halve limoen toe. Schep de saus op de zeewolftartaar en serveer het geheel koud.

Tonijntartaar

Voorbereidingstijd: 15 minuten – Bereidingstijd: geen
Voor 4 personen

- 1 kg tonijn
- 1 limoen
- 1 teen knoflook
- 5 cm gemberwortel
- ½ bosje bieslook
- 1 eetlepel magere kwark
- 1 theelepel paraffineolie
- zout en peper

Snijd de tonijn in dobbelsteentjes en besprenkel deze met citroensap. Meng in een kom de geperste knoflook, geraspte gember, geknipt bieslook, kwark en olie. Breng het geheel op smaak met zout en peper, en doe de vis erbij. Meng alles goed en zet het geheel nog 15 minuten in de koelkast.

Tartaar van tonijn en dorade

Voorbereidingstijd: 20 minuten – Bereidingstijd: geen
Voor 6 personen

- 400 g tonijn
- 400 g doradefilet
- 1 eetlepel paraffineolie met dragon, gemengd met 1 eetlepel koolzuurhoudend bronwater
- 1 limoen
- 1 sjalotje
- 6 takjes dille
- 6 theelepels zalmkuit
- rozepeperkorrels
- zout en peper

Hak de tonijn en de dorade fijn.
Besprenkel de vis met de olie en het citroensap. Breng het geheel op smaak met zout en peper. Voeg de gesnipperde sjalot en gehakte dille toe; roer alles goed door.
Verdeel het mengsel over zes schaaltjes. Zet ze 15 minuten in de koelkast en stort ze dan op bordjes.
Garneer elk tartaartje met wat zalmkuit, strooi er wat roze peper over en leg er een takje dille op.
Serveer het geheel met een gesmoorde salade en schijfjes limoen.

Terrine van zeevruchten

Voorbereidingstijd: 15 minuten – Bereidingstijd: 30 minuten
Voor 2 personen

- 2 eetlepels tarwezemelen
- 4 eetlepels haverzemelen
- 3 eetlepels magere kwark
- 3 eieren
- 1 grote handvol zeevruchten (vers of diepvries)
- zout, peper en kruiden

Meng alle ingrediënten tot een smeuïg mengsel.
Schep het in een met bakpapier beklede cakevorm.
Bak het 30 minuten in een voorverwarmde oven op 180 °C.

Terrine van wijting

Voorbereidingstijd: 20 minuten – Bereidingstijd: 20 minuten
Voor 2 personen

- 600 g wijting
- 1 zakje court-bouillon
- 1 ei
- 2 eetlepels magere kwark
- basilicum, dragon, koriander
- zout en peper

Kook de wijting in de court-bouillon. Pureer hem fijn en meng er het losgeklopte ei en de kwark door. Breng het geheel op smaak met zout en peper, en voeg de kruiden toe. Verdeel het mengsel over een terrine of cakevorm en laat het in 20 minuten au bain-marie gaar worden.

Terrine van zalm en zeeduivel met limoen

Voorbereidingstijd: 30 minuten – Bereidingstijd: geen
Voor 2-3 personen

- 400 g verse zalmfilet
- 200 g zeeduivelfilet zonder huid
- 100 ml limoensap
- 1 druppel tabasco
- 1 snufje nootmuskaat
- peper
- 2 zakjes geleipoeder met madera
- 1 theelepel rozepeperkorrels
- 2 kleine uitjes
- 2 flinke takken basilicum

Snijd de vis in dunne plakjes en leg ze in een diepe schaal.
Meng het limoensap, de tabasco, nootmuskaat en peper. Giet het mengsel over de vis en laat het geheel 1 uur marineren in de koelkast.
Maak intussen de gelei volgens de aanwijzingen op de verpakking met 500 ml water voor twee zakjes. Laat de gelei tot kamertemperatuur afkoelen.
Laat de vis uitlekken. Bekleed een cakevorm van minstens 1 liter met bakpapier – zorg ervoor dat het papier ruim uitsteekt. Giet een laagje (2 mm) gelei op de bodem van de vorm en laat dit stollen in de koelkast. Wissel dan laagjes zeeduivel en zalm af en verdeel er de lichtge-

kneusde rozepeperkorrels, gehakte ui en het gescheurde basilicum over. Bedek het geheel tot slot met de rest van de gelei. Schud de vorm een beetje, zodat de gelei er goed door zakt zonder luchtbellen te maken. Vouw het bakpapier dan dicht. Laat het geheel minstens 4 uur opstijven in de koelkast.

Terrine van tonijn

Voorbereidingstijd: 15 minuten – Bereidingstijd: 50 minuten
Voor 2 personen

- 2 blikjes tonijn in water
- 2-3 eetlepels magere kwark
- 2 eieren
- wat kappertjes
- zout en peper

Schep de helft uit een blikje tonijn en prak de rest fijn. Voeg de kwark, eieren en zout en peper toe, en meng alles goed.
Voeg dan de rest van de (niet-geprakte) tonijn en de kappertje toe. Schep het mengsel in een met bakpapier beklede cakevorm en zet het 45-50 minuten in een op 180 °C voorverwarmde oven.

Gegrilde tonijn

Voorbereidingstijd: 15 minuten – Bereidingstijd: 10 minuten
Voor 2 personen

- 2 takjes peterselie
- 1 bosje verse oregano
- 1 bosje tijm
- 3-4 laurierblaadjes
- 1 citroen
- 1 theelepel mosterdzaad
- 1 tonijnmoot van 400 à 500 g

Snijd de kruiden heel fijn en wrijf de laurierblaadjes fijn. Doe alles in een kom. Voeg het citroensap en de mosterdzaadjes toe en meng alles goed.

Bestrijk de tonijn aan beide zijden met de marinade.
Gril de tonijn op hoog vuur aan beide kanten 5 minuten en bestrijk hem steeds met marinade.

Taarten

Hartige kwarktaart

Voorbereidingstijd: 20 minuten – Bereidingstijd: 40 minuten
Voor 2 personen

- 5 eieren
- 250 ml magere melk
- 250 g zuiver eiwitpoeder
- een paar blaadjes basilicum
- 250 g magere kwark
- ½ zakje gist
- een paar augurken
- 100 g magere ham
- 1 bosje bieslook
- zout en peper

Klop de eieren los in een grote kom. Voeg beetje bij beetje de melk, het eiwitpoeder, het zout, de peper en het basilicum toe. Roer alles goed door met een houten spatel tot een glad deeg.
Roer er dan langzaam de kwark door en als laatste de gist. Voeg dan een of meer van de volgende ingrediënten toe: augurken, ham, bieslook.
Giet het beslag in een taartvorm.
Zet het geheel 40 minuten in een op 200 °C voorverwarmde oven.
Laat het afkoelen en stort het wanneer de taart nog lauwwarm is. Deze taart is zowel lauwwarm als koud lekker bij een aperitief.

Hartige pannenkoek

Voorbereidingstijd: 20 minuten – Bereidingstijd: 30-35 minuten
Voor 1 persoon

BASIS VOOR DE PANNENKOEK:
- 2 eetlepels haverzemelen
- 1 eetlepel tarwezemelen
- 1 eetlepel magere kwark
- 60 g magere verse kaas
- 3 eieren, gesplitst en het wit stijfgeklopt
- zout en peper

INGREDIËNTEN NAAR KEUZE:
- 185 g tonijnsnippers

  OF
- 200 g gerookte zalm

  OF
- 150 g magere ham zonder zwoerd

  OF
- 150 g mager gehakt

Meng alle ingrediënten voor de basis (behalve de eiwitten) tot een egaal beslag. Voeg naar smaak kruiden en zout en peper toe.
Meng er tot slot de ingrediënten naar keuze door en de stijf geslagen eiwitten.
Giet het mengsel dan in een voorverwarmde koekenpan op middelhoog vuur en bak de pannenkoek circa 30 minuten. Keer de pannenkoek om met een spatel en laat hem nog 5 minuten bakken.

Zoete pannenkoek

Voorbereidingstijd: 20 minuten – Bereidingstijd: 30-35 minuten
Voor 1 persoon

BASIS VOOR DE PANNENKOEK:

- 2 eetlepels haverzemelen
- 1 eetlepel tarwezemelen
- 1 eetlepel magere kwark
- 60 g magere verse kaas
- 1 eetlepel Hermesetas® vloeibaar
- 3 eieren, gesplitst en het wit stijfgeklopt

INGREDIËNTEN NAAR KEUZE:

- 1 theelepel cacaopoeder gemengd door een eidooier

OF

- 2 eetlepels amandelaroma zonder olie of suiker

OF

- 2 eetlepels oranjebloesemaroma

Meng alle ingrediënten voor de basis (behalve de eiwitten) tot een egaal beslag. Voeg tot slot het ingrediënt naar keuze toe en de stijf geslagen eiwitten.
Giet het mengsel dan in een voorverwarmde koekenpan op middelhoog vuur en bak de pannenkoek circa 30 minuten. Keer de pannenkoek om met een spatel en laat hem nog 5 minuten bakken.
Bak voor een chocoladepannenkoek eerst de pannenkoek en strijk er dan het cacaomengsel over.

Pannenkoek met rookvlees

Voorbereidingstijd: 25 minuten – Bereidingstijd: 45 minuten
Voor 1 persoon

- 5-6 plakken runderrookvlees
- 1 eetlepel magere verse kaas

Bereid de basispannenkoek. Beleg de gebakken pannenkoek met plakjes rookvlees en de kaas.
Gratineer het geheel onder de grill.

Brood à la Dukan

Voorbereidingstijd: 5 minuten – Bereidingstijd: 10 minuten
Voor 1 persoon

- 1 ei
- 30 g magere verse kaas (bijv. petit-suisse)
- 1 afgestreken eetlepel maizena
- 1 theelepel gist
- gedroogde kruiden naar smaak
- pas op: geen zout!

Meng de ingrediënten en giet het mengsel in een rechthoekige schaal van 15 x 20 cm. De laag moet minstens 5 cm dik zijn (neem anders een kleinere schaal). Dek het geheel af met folie (behalve als je gebruikmaakt van de oven) en zet het 5 minuten in de magnetron op vol vermogen of minstens 10 minuten in een op 200 °C voorverwarmde oven. Haal zodra het brood gaar is de folie eraf en haal het meteen uit de vorm om te voorkomen dat het inzakt.

Tonijnpizza

Voorbereidingstijd: 20 minuten – Bereidingstijd: 25 minuten
Voor 1 persoon

- 1 blik gepureerde tomaten (500 ml)
- 1 grote ui
- 1 theelepel tijm, oregano en basilicum
- 2 snufjes peper
- 1 blikje tonijn in water (ca. 180 g)
- 2 eetlepels kappertjes
- 6 theelepels geraspte comté
- zout

Maak het deeg volgens het recept voor een pannenkoek met haverzemelen.
Laat de tomaten uitlekken. Fruit de ui in een licht ingevette pan met antiaanbaklaag, voeg de tomaten, kruiden en zout en peper toe, en laat het geheel 10 minuten op laag vuur sudderen.
Laat de tonijn uitlekken, verdeel hem in stukken en zet hem apart.
Bestrijk de pannenkoek met het tomatenmengsel en verdeel de tonijn, kappertjes en kaas erover.
Zet de pizza 25 minuten in een op 175 °C voorverwarmde oven.

Kaneeltaart

Voorbereidingstijd: 25 minuten – Bereidingstijd: 40 minuten
Voor 4 personen

- 3 eieren
- zoetstof om mee te bakken
- 25 g magere verse kaas (bijv. petit-suisse)
- 1 eetlepel kaneelpoeder
- 1 vanillepeul
- 1 basisdeeg met haverzemelen

Klop de eieren los in een kom. Voeg de zoetstof (naar smaak) toe en klop alles tot een smeuïg geheel. Voeg dan de verse kaas en de kaneel toe. Splijt de vanillepeul, haal de zaadjes eruit en roer ze door het mengsel.

Bekleed een taartvorm met bakpapier. Bekleed de bodem met het basisdeeg en bak het 10 minuten in een voorverwarmde oven op 220 °C. Schenk het eimengsel op de taartbodem en zet de taart nog eens 30 minuten in de oven.

Desserts

Kwarkbavarois met vanille

Voorbereidingstijd: 15 minuten – Bereidingstijd: geen
Voor 2 personen

- 3 gelatineblaadjes
- 2 eiwitten
- 440 g magere kwark
- vanillearoma
- aspartaam

Laat de gelatine 5 minuten in koud water weken.
Klop de eiwitten stijf.
Verwarm 3 eetlepels water op laag vuur. Knijp de gelatineblaadjes uit en doe ze in het warme water. Roer tot de gelatine volledig is opgelost.
Klop de kwark los, voeg het stijfgeklopte eiwit toe, daarna het vanillearoma en de vloeibare gelatine, en klop nog eens 2-3 minuten goed door. Voeg nog wat aspartaam toe voor een zoete smaak.
Zet het geheel een nacht in de koelkast.

Taart van biscuitdeeg

Voorbereidingstijd: 30 minuten – Bereidingstijd: 40 minuten
Voor 2 personen

- 3 eieren
- 6 eetlepels zoetstof om mee te bakken
- 1 eetlepel vanillearoma zonder olie
- 7 eetlepels maizena
- ½ zakje gist

Verwarm de oven voor op 160-180 °C.
Klop de eidooier met de zoetstof en het vanillearoma tot een romig mengsel.
Voeg de maizena en de gist toe. Klop de eiwitten stijf en spatel ze door het beslag.
Bekleed een bakvorm met hoge rand en een doorsnee van 22-24 cm met bakpapier en giet het beslag erin. Bak de taart 35-40 minuten in

de oven. Haal hem (nog) warm uit de vorm en laat hem op een rooster afkoelen.

Amandeltoetje

Voorbereidingstijd: 25 minuten – Bereidingstijd: geen
Voor 4 personen

- 2 gelatineblaadjes
- 400 g magere kwark
- 3 eetlepels zoetstof
- 8-10 druppels amandelaroma
- 1 eiwit

Week de gelatine in een bakje met koud water.
Verwarm 50 g kwark in een pannetje op laag vuur. Roer de uitgeknepen gelatine er goed door tot alles is opgelost.
Doe de rest van de kwark in een kom met 2 eetlepels zoetstof en het amandelaroma, en klop alles tot een smeuïg mengsel. Voeg dan de vloeibare gelatine toe.
Klop het eiwit stijf. Voeg – als het bijna stijf is – de rest van de zoetstof toe en ga nog een paar seconden door met kloppen. Spatel het stijfgeklopte eiwit voorzichtig door het kwarkmengsel.
Verdeel het mengsel over vier schaaltjes en zet ze 2 uur in de koelkast.

Cheesecake

Voorbereidingstijd: 10 minuten – Bereidingstijd: 12 minuten
Voor 2 personen

- 5 eetlepels magere kwark
- 2 eetlepels maizena
- 2 eidooiers
- 2 eetlepels citroensap
- 3 eetlepels zoetstof om mee te bakken
- 5 eiwitten

Klop de kwark, maizena, eidooiers, het citroensap en de zoetstof tot een schuimig mengsel.
Klop de eiwitten stijf en spatel ze voorzichtig door het kwarkmengsel.
Giet het in een soufflévorm.
Bak de cheesecake 12 minuten in de magnetron op gemiddeld vermogen.
Serveer hem koud.

Cookies

Voorbereidingstijd: 10 minuten – Bereidingstijd: 20 minuten
Voor 1 persoon

- 2 eieren
- ½ theelepel Hermesetas® vloeibaar
- 20 druppels vanillearoma zonder olie
- 1 eetlepel tarwezemelen
- 2 eetlepels haverzemelen

Meng twee eidooiers, de Hermesetas, het vanillearoma en de zemelen in een kom.
Klop de eiwitten heel stijf en spatel ze door het zemelenmengsel.
Giet het mengsel in een lage vorm.
Bak het geheel 15-20 minuten in een op 180 °C voorverwarmde oven.

Mokkapudding

Voorbereidingstijd: 5 minuten – Bereidingstijd: 20 minuten
Voor 4 personen

- 600 ml magere melk
- 1 theelepel koffie-extract (of oploskoffie)
- 3 eieren
- 3 eetlepels zoetstof om mee te bakken

Breng de melk met het koffie-extract aan de kook.
Klop de eieren los met de zoetstof en roer er het melkmengsel door.
Giet het mengsel in schaaltjes en zet ze 20 minuten au bain-marie in een op 140 °C voorverwarmde oven.
Serveer de pudding koud.

Chocoladepudding

Voorbereidingstijd: 5 minuten – Bereidingstijd: 15 minuten
Voor 4 personen

- 400 ml melk
- 4 snufjes kaneelpoeder
- 20 druppels vanillearoma
- 4 eetlepels magere cacaopoeder
- 4 eetlepels zoetstof om mee te bakken
- 4 eieren

Breng de melk met de kaneel en het vanillearoma aan de kook. Voeg het cacaopoeder en de zoetstof toe; roer alles goed door.
Laat het mengsel afkoelen.
Klop de eieren los en roer de lauwe melk erdoor. Giet het mengsel in schaaltjes.
Bak het geheel 15 minuten au bain-marie in een voorverwarmde oven op 180 °C.

Kruidenpudding

Voorbereidingstijd: 20 minuten – Bereidingstijd: 20 minuten
Voor 4 personen

- 250 ml magere melk
- 1 vanillepeul
- ½ theelepel kaneelpoeder
- 1 kruidnagel
- 1 steranijs
- 2 eidooiers
- 2 eetlepels zoetstof om mee te koken
- 200 g magere kwark

Doe de melk, de overlangs gesplitste vanillepeul, kaneel, kruidnagel en anijs in een pan, en breng het geheel aan de kook.
Klop de eieren met de zoetstof los in een kom tot het mengsel wittig wordt.
Giet de warme melk al roerend, beetje bij beetje, bij het eimengsel.
Giet het mengsel weer in de pan en laat het 12 minuten op laag vuur zachtjes koken. Roer het af en toe goed door: het mengsel is klaar wanneer het aan de lepel blijft 'hangen'.
Zeef het en laat het afkoelen.
Roer de kwark door het afgekoelde mengsel en zet het in de koelkast.
Serveer de pudding koud.

Vanillepudding uit de oven

Voorbereidingstijd: 15 minuten – Bereidingstijd: 20 minuten
Voor 2 personen

- 2 kopjes magere melk
- 3 eieren
- ½ kopje zoetstof om mee te bakken
- een paar druppels vanille-extract
- 1 snufje geraspte nootmuskaat

Verwarm de oven voor op 180 °C.

Vet een ovenschaal in met wat boter of bekleed hem met bakpapier.
Klop de melk, eieren, zoetstof en de vanille door elkaar.
Giet het mengsel in de ovenschaal en bestrooi het met nootmuskaat.
Zet de schaal in een grotere schaal, die voor de helft gevuld is met koud water. Zet het geheel 20 minuten au bain-marie in de oven tot de pudding stevig is.
Serveer de pudding lauwwarm of koud.

Dessertvla

Voorbereidingstijd: 15 minuten – Bereidingstijd: 4 minuten
Voor 4 personen

- 1 l magere melk
- 3 eetlepels zoetstof om mee te koken
- 2 eetlepels magere cacaopoeder
- 2 eetlepels maizena

Houd 140 ml koude melk apart en breng de rest aan de kook.
Doe de koude melk, suiker, maizena en het cacaopoeder in een shaker en schud goed.
Giet als de melk begint te koken de inhoud van de shaker al roerend in de pan.
Breng het geheel zachtjes aan de kook op middelhoog vuur en laat het heel kort koken.
Schenk de vla in schaaltjes en serveer meteen.

Exotische vla

Voorbereidingstijd: 5 minuten – Bereidingstijd: 5-10 minuten
Voor 4 personen

- 1 ei
- 1 eetlepel maizena
- 500 ml magere melk
- ½ theelepel vanillearoma
- ¼ theelepel kaneelpoeder
- 1 theelepel rum
- 2 eetlepels zoetstof om mee te koken
- 1 eiwit

Klop in een kom langdurig het hele ei en de maizena los en verdun het mengsel met een half glas koude melk (100 ml).
Breng de rest van de melk aan de kook en giet hem dan al kloppend bij het maizenamengsel.
Giet het mengsel weer terug in de pan en breng het op laag vuur al roerend met een houten spatel aan de kook. De vla is klaar zodra hij begin te koken. Haal hem meteen van het vuur en giet hem in een koude kom. Voeg het vanillearoma, de kaneel, rum en zoetstof toe, en roer alles goed door.
Klop het eiwit stijf en spatel het voorzichtig door de nog warme vla.
Serveer de vla koud.

Slagroom

Voorbereidingstijd: 5 minuten – Bereidingstijd: geen
Voor 1 persoon

- 240 g magere verse kaas (bijv. petit-suisse)
- 1 eetlepel aspartaam
- 2 eiwitten

Klop de zoetstof door de verse kaas. Spatel er voorzichtig de zeer stijf geklopte eiwitten door.
Serveer de slagroom koud.

Japanse pudding

Voorbereidingstijd: 5 minuten – Bereidingstijd: geen
Voor 1 persoon

- 10 g magere poedermelk
- 1 mespuntje oploskoffie
- 1 g gelatine
- 2 zoetjes

Leng het melkpoeder aan met 100 ml water. Voeg de oploskoffie toe en verwarm het geheel zonder het te laten koken. Voeg de in koud water geweekte gelatine toe en de zoetjes; roer alles nog eens goed door. Doe het mengsel in een coupe en zet het in de koelkast.

Vanillepudding

Voorbereidingstijd: 10 minuten – Bereidingstijd: 20 minuten
Voor 5 personen

- 1 l magere melk
- 100 g zoetstof om mee te bakken
- 1 vanillepeul
- 3 eidooiers
- 1 eiwit

Breng de melk met de vanillepeul aan de kook. Haal de pan van het vuur en laat de melk afkoelen. Haal de peul eruit en voeg de zoetstof toe.
Voeg de eidooiers en het eiwit toe en roer alles goed door.
Giet het mengsel in een compoteschaal.
Laat de pudding in 20 minuten au bain-marie opstijven in de oven.

Dessert Lisaline

Voorbereidingstijd: 20 minuten – Bereidingstijd: 30 minuten
Voor 2 personen

- 2 eieren
- 6 eetlepels magere kwark
- vloeibare zoetstof om mee te bakken
- 1 theelepel citroensap (of oranjebloesemwater)

Verwarm de oven voor op 180 °C.
Splits de eieren. Meng de dooiers door de kwark samen met de zoetstof en het citroensap. Klop de eiwitten stijf.
Klop het eidooiermengsel mooi glad en spatel er voorzichtig de stijfgeklopte eiwitten door.
Schep het mengsel in twee vuurvaste schaaltjes en zet ze 25-30 minuten in de oven en dan nog 5-10 minuten onder de grill voor een goudbruin korstje. Let er goed op dat het korstje niet verbrandt.

Dessertmousse

Voorbereidingstijd: 15 minuten – Bereidingstijd: geen
Voor 4 personen

- 3 gelatineblaadjes
- 2 eetlepels citroensap
- 300 g magere kwark
- 2 eieren
- zoetstof

Week de gelatine 10 minuten in koud water.
Verwarm het citroensap op laag vuur.
Knijp de gelatine uit en meng het door het citroensap. Koel af.
Meng twee eidooiers en de zoetstof door de kwark en voeg dan het citroenmengsel toe. Klop de eiwitten stijf. Spatel ze voorzichtig door de rest van het mengsel.
Schep het mengsel in een kleine kom en zet het 1 uur in de koelkast.

Puddinkje

Voorbereidingstijd: 15 minuten – Bereidingstijd: 45 minuten
Voor 4-5 personen

- 5 eieren
- 375 ml magere melk
- 1 vanillestokje
- 1 snufje gemalen nootmuskaat

Klop de eieren los in een grote kom. Verwarm de melk met het vanillestokje: breng hem niet aan de kook. Giet de warme melk langzaam bij de eieren. Voeg de nootmuskaat toe en roer alles goed door. Giet het mengsel in 4-5 vuurvaste schaaltjes en zet ze 45 minuten in de oven op 160 °C; controleer regelmatig of de puddinkjes al gaar zijn.

Banketbakkersroom

Voorbereidingstijd: 10 minuten – Bereidingstijd: 1 uur
Voor 6 personen

- 4 grote eieren
- 2 vanillepeulen
- 500 ml magere melk
- 5-8 afgestreken eetlepels zoetstof om te bakken

Verwarm de oven voor op 180 °C.
Klop de eieren los in een kom samen met de vanillepeulen en de zoetstof. Voeg de melk toe en meng alles goed.
Giet het mengsel in een ovenschaal met gladde randen.
Laat het geheel 1 uur bakken.

Chocoladetaartje

Voorbereidingstijd: 15 minuten – Bereidingstijd: 15 minuten
Voor 2 personen

- 3 grote eieren
- 1 eetlepel zoetstof om mee te bakken
- 10 g magere cacaopoeder
- 1 snufje nootmuskaat

Verwarm de oven voor op 180 °C. Splits de eieren. Meng de zoetstof en cacaopoeder door de eidooiers. Klop de eiwitten stijf.
Spatel het eiwit door het chocolademengsel en voeg de nootmuskaat toe. Verdeel het mengsel over twee vuurvaste schaaltjes.
Zet ze 10-15 minuten in de oven.

Kwarktaart

Voorbereidingstijd: 10 minuten – Bereidingstijd: 30 minuten
Voor 4 personen

- 125 g magere kwark
- 25 g maizena
- ½ zakje gist
- de rasp van 1 onbespoten citroen
- ½ theelepel Hermesetas® vloeibaar
- 2 eidooiers + 4 stijfgeklopte eiwitten

Meng alle ingrediënten, behalve de eiwitten. Spatel geleidelijk de vier stijfgeklopte eiwitten door het mengsel.
Schep het mengsel in een ovenschaal en bak het 30 minuten in een voorverwarmde oven op 200 °C.
Serveer de kwarktaart koud.

Yoghurttaart

Voorbereidingstijd: 15 minuten – Bereidingstijd: 45 minuten
Voor 2 personen

- 3 eieren
- 125 g magere yoghurt
- ½ theelepel Hermesetas® vloeibaar
- 1 theelepel sinaasappelextract
- 4 eetlepels maizena
- 1 zakje gist

Klop de eieren door de yoghurt en voeg de Hermesetas, het sinaasappelextract, de maizena en gist toe.
Vet een taartvorm licht in en schep het mengsel erin.
Zet de taart 45 minuten in een op 180 °C voorverwarmde oven.

Sinaasappelcake

Voorbereidingstijd: 20 minuten – Bereidingstijd: 20 minuten
Voor 4 personen

- 1 onbespoten sinaasappel
- 1 ei
- 10 g zoetstof om mee te bakken
- 80 g maizena
- 3 eetlepels zoetstof om mee te bakken
- 6 theelepels magere crème fraîche
- 3 eiwitten

Verwarm de oven voor op 120 °C.
Spoel de sinaasappel af met warm water. Rasp er genoeg schil af voor 2 theelepels. Pers de sinaasappel uit en houd het sap apart.
Klop de zoetstof door het ei tot een schuimig en luchtig mengsel. Voeg de maizena, zoetstof en room toe. Voeg dan het sinaasappelsap en de sinaasappelschil toe en meng alles goed.
Klop de eiwitten stijf en spatel ze voorzichtig door het deeg.
Schep het deeg in een bakvorm met hoge rand met antiaanbaklaag en zet het geheel 20 minuten in de oven.

Meidentaart

Voorbereidingstijd: 15 minuten – Bereidingstijd: 35 minuten
Voor 2 personen

- 3 eieren
- 2 grote eetlepels maizena
- ½ theelepel Hermesetas® vloeibaar
- de rasp van 1 onbespoten citroen
- 3 grote eetlepels magere kwark

Splits de eieren en klop de eiwitten stijf.
Klop de eidooiers los in een kom en voeg de maizena, Hermesetas en citroenrasp toe; roer alles goed door.
Spatel dan de stijfgeklopte eiwitten door het mengsel.
Verwarm de oven voor op 180 °C. Vet een taartvorm (of twee vuurvaste schaaltjes) licht in en zet het geheel 30-35 minuten in de oven.

Amandelgelei

Voorbereidingstijd: 15 minuten – Bereidingstijd: 3-5 minuten
Voor 2 personen

- 400 ml magere melk
- 6 druppels amandelextract zonder suiker
- 3 gelatineblaadjes

Verwarm de melk en het amandelextract in een pan en breng het mengsel langzaam aan de kook.
Week de gelatineblaadjes in wat koud water en knijp ze uit. Haal de pan van het vuur en roer de gelatine door de melk. Roer net zolang tot de gelatine goed is opgelost en giet het mengsel dan in een laagje van minder dan 1 cm op een schaal. Laat de gelei opstijven in de koelkast.

Cake

Voorbereidingstijd: 10 minuten – Bereidingstijd: 20 minuten
Voor 2 personen

- 4 eieren
- 100 g zoetstof om mee te bakken
- de rasp van 1 onbespoten citroen
- 40 g maizena

Verwarm de oven voor op 180 °C.
Klop de eiwitten stijf. Klop de eidooiers los in een kom en voeg de zoetstof, citroenrasp en maizena toe. Spatel dan voorzichtig de stijfgeklopte eiwitten door het mengsel.
Schep het beslag in een cakevorm (bekleed met bakpapier) en zet het geheel 20 minuten in de oven tot de cake goudgeel is.

Light ijs

Voorbereidingstijd: 15 minuten – Bereidingstijd: geen
Voor 4 personen

- 360 g magere verse kaas (bijv. petit-suisse)
- 3 eidooiers
- 1 eetlepel crème fraîche
- 75 g aspartaam
- 2 eiwitten

Klop de verse kaas, eidooiers, crème fraîche, aspartaam en een aroma naar keuze 2 minuten lang stevig door. Klop de eiwitten stijf en spatel ze voorzichtig door het mengsel.
Schep het mengsel in een ijsbak en zet het geheel in de vriezer.

Koffiegranité met kaneel

Voorbereidingstijd: 10 minuten – Bereidingstijd: geen
Voor 2 personen

- 500 ml warme zwarte koffie
- zoetstof naar smaak
- 1 theelepel kaneelpoeder
- 3 kardemombonen

Meng de warme koffie, zoetstof en specerijen. Roer het geheel goed door en laat het afkoelen.
Giet het daarna in een kom en zet het circa 1 uur in de vriezer.
Mix het mengsel 1 minuut. Doe het opnieuw in de kom en laat het circa 15 minuten in de vriezer staan.
Verdeel het ijs over coupes en serveer meteen.

Zoute lassi

Voorbereidingstijd: 5 minuten – Bereidingstijd: geen
Voor 4 personen

- 500 g magere yoghurt
- 500 ml magere melk
- 1 snufje zout
- ¼ theelepel gepelde groene kardemom
- 3 druppels rozenwater

Meng alle ingrediënten en klop ze goed door met de garde.
Giet de lassi in mooie glazen en zet ze tot gebruik in de koelkast.

Schuimpjes

Voorbereidingstijd: 10 minuten – Bereidingstijd: 20 minuten
Voor circa 12 schuimpjes

- 3 eiwitten
- 6 eetlepels zoetstof om mee te bakken
- 2 theelepels magere cacaopoeder
- 2 theelepels heel sterke koffie

Klop de eiwitten heel stijf. Strooi er al kloppend de zoetstof en het cacaopoeder bij en voeg dan de koffie toe. Blijf nog 30 seconden kloppen.
Verdeel het schuim in kleine hoopjes over een bakplaat.
Zet het geheel 15-20 minuten in een op 150 °C voorverwarmde oven.
Let op: voeg de zoetstof pas toe als de eiwitten al goed stijf zijn om te voorkomen dat de schuimpjes inzakken.

Yoghurtdroom

Voorbereidingstijd: 15 minuten – Bereidingstijd: 30 minuten
Voor 4 personen

- 2 eieren
- 2 theelepels zoetstof om mee te bakken
- 250 g magere yoghurt
- 50 g maizena
- aroma naar smaak
- 1 snufje zout

Verwarm de oven voor op 210 °C.
Splits de eieren. Klop de eidooiers met de zoetstof los in een kom. Voeg de yoghurt, maizena en het aroma toe, en roer alles nog eens goed door.
Klop de eiwitten heel stijf met een snufje zout. Spatel ze voorzichtig door het mengsel. Schep het mengsel in een cakevorm van 18 cm en zet het geheel 20-30 minuten in de oven.

Koffiemousse

Voorbereidingstijd: 10 minuten – Bereidingstijd: geen
Voor 6 personen

- 360 g magere verse kaas (bijv. petit-suisse)
- 2 eetlepels zoetstof
- 4 eidooiers
- 1 eetlepel koffie-extract

Klop de verse kaas met een vork luchtig. Voeg de zoetstof toe.
Klop de eiwitten stijf en spatel ze voorzichtig door de kaas. Voeg tot slot het koffie-extract toe.
Schep het mengsel in zes schaaltjes en zet ze 3 uur in de koelkast.

Citroenmousse

Voorbereidingstijd: 20 minuten – Bereidingstijd: 2 minuten
Voor 4 personen

- 2 gelatineblaadjes
- ½ onbespoten citroen
- 1 ei
- 2 eetlepels zoetstof om mee te koken
- 250 g magere kwark

Week de gelatineblaadjes in een kom koud water.
Rasp de schil van een halve citroen en zet apart.
Splits het ei en meng de eidooier met 1 eetlepel zoetstof, citroenrasp en 50 g kwark. Klop alles met een garde tot een mooi glad strogeel mengsel. Giet het mengsel in een kleine pan en verwarm het 2 minuten op laag vuur. Haal de pan van het vuur en roer de uitgeknepen gelatine er zorgvuldig doorheen. Blijf net zolang roeren tot de gelatine volledig is opgelost.
Klop de kwark glad en roer hem door de citroencrème.
Klop het eiwit stijf en voeg aan het eind 1 eetlepel zoetstof toe. Blijf nog even kloppen. Spatel het eiwit voorzichtig door de citroencrème.
Zet de citroenmousse tot gebruik in de koelkast.

Chocolademousse

Voorbereidingstijd: 10 minuten – Bereidingstijd: 5 minuten
Voor 2 personen

- 3 eetlepels water
- 125 g dieetchocolade
- 1 theelepel oploskoffie
- 6 eiwitten
- 1 snufje zout
- 125 g magere kwark

Breek de chocolade in stukken en doe ze samen met de koffie en het water in een kom. Dek het geheel af met aluminiumfolie. Plaats de kom in het mandje van een snelkookpan en laat het mengsel circa 5 minuten zachtjes koken.
Klop de eiwitten stijf met het zout. Doe de kwark bij het warme chocolademengsel en roer alles goed door. Spatel de stijfgeklopte eiwitten voorzichtig door de chocoladecrème.
Schep het mengsel in coupes. Zet ze 2 uur in de koelkast en serveer.

Yoghurtmousse met kaneel

Voorbereidingstijd: 15 minuten – Bereidingstijd: geen
Voor 4 personen

- 4 eieren
- 500 g magere yoghurt
- 1 theelepel kaneelpoeder
- 3 eetlepels zoetstof

Splits de eieren en klop de eiwitten goed stijf.
Klop de yoghurt los in een kom en voeg de kaneel en zoetstof toe.
Spatel voorzichtig de stijfgeklopte eiwitten door het yoghurtmengsel en zet de mousse in de koelkast.

IJskoude citroenmousse

Voorbereidingstijd: 10 minuten – Bereidingstijd: geen
Voor 2-3 personen

- 4 eiwitten
- 500 g magere kwark
- het sap van 5 citroenen
- de rasp van 1 onbespoten citroen

Klop de eiwitten stijf. Klop de kwark los met een garde.
Meng voorzichtig de rasp, het citroensap en de eiwitten door de kwark.
Doe de mousse in een bak en zet hem in de vriezer tot hij stevig is.

Muffins

Voorbereidingstijd: 10 minuten – Bereidingstijd: 30 minuten
Voor 4 personen

- 4 eieren
- 4 eetlepels tarwezemelen
- 8 eetlepels haverzemelen
- 4 eetlepels magere kwark
- ½ theelepel Hermesetas® vloeibaar
- aroma naar smaak: citroenrasp, kaneel, koffie, etc.

Verwarm de oven voor op 180 °C.
Klop de eiwitten stijf.
Meng alle andere ingrediënten en spatel dan de stijfgeklopte eiwitten erdoor.
Schep het mengsel in muffinvormpjes en zet ze 20-30 minuten in de oven.

Chocoladepasta à la Dukan

Voorbereidingstijd: 5 minuten – Bereidingstijd: geen
Voor 1 persoon

- 1 eidooier
- 1 theelepel magere cacaopoeder
- 2 eetlepels aspartaam
- wat water

Meng alle ingrediënten tot een smeuïge pasta.

Theesorbet

Voorbereidingstijd: 20 minuten – Bereidingstijd: geen
Voor 2 personen

- 300 ml water
- 3 eetlepels Chinese thee
- sap van 1 citroen
- 4 verse muntblaadjes

Breng 300 ml water aan de kook, doe de theeblaadjes erin, leg het deksel op de pan en laat het geheel 3 minuten trekken. Zeef 60 ml van de thee en giet de gezeefde thee in een lage bak. Zet de bak in de vriezer. Roer de thee van tijd tot tijd met een vork door, zodat er korreltjes ontstaan. Zeef de resterende 240 ml thee en giet deze in een ijsmachine samen met het citroensap. Laat het geheel 15 minuten draaien.
Vul mooie sorbetglazen met een torentje theesorbet. Bestrooi het geheel met thee-ijskristallen en blaadjes munt.

Limoensorbet

Voorbereidingstijd: 10 minuten – Bereidingstijd: geen
Voor 2-3 personen

- 4 limoenen
- 500 g magere kwark
- 3 eetlepels aspartaam

Rasp een van de citroenen. Doe de rasp in een keukenmachine samen met de kwark, het sap van de andere citroenen en de aspartaam. Pureer alles glad. Zet het geheel 4 uur in de koelkast en laat het dan nog 3 minuten draaien in een ijsmachine.

Yoghurtsorbet

Voorbereidingstijd: 2 minuten – Bereidingstijd: geen
Voor 2-3 personen

- 625 g magere yoghurt
- 2 citroenen
- 2 eetlepels magere kwark

Klop de yoghurt los met een garde. Voeg de citroenrasp toe en dan het citroensap en de kwark.
Meng alles goed en schep het dan in een ijsmachine. Laat de machine enkele minuten draaien.

Chocolade-ijssoufflé

Voorbereidingstijd: 10 minuten – Bereidingstijd: geen
Voor 4 personen

- 200 g magere kwark
- 60 magere cacaopoeder
- 4 eiwitten
- 6 eetlepels zoetstof

Zeef het cacaopoeder over de kwark en klop goed met de mixer.

Klop de eiwitten samen met de zoetstof stijf.
Spatel de eiwitten voorzichtig door het kwarkmengsel. Wikkel een strook aluminiumfolie rondom een soufflévorm, zodat er een rand van minstens 3 cm uitsteekt. Schep het kwarkmengsel erin – zorg ervoor dat het tot de strook folie komt.
Laat het geheel minstens 3 uur opstijven in de vriezer. Verwijder de aluminiumfolie en serveer meteen.

Citroentaart

Voorbereidingstijd: 15 minuten – Bereidingstijd: 35 minuten
Voor 6 personen

- 3 eieren
- zoetstof
- 30 ml koud water
- 1 onbespoten citroen
- 1 snufje zout

Klop de zoetstof door de eidooiers. Voeg het water en het sap en de rasp van de citroen toe.
Verwarm het geheel au bain-marie op laag vuur, al roerend met een houten spatel, tot het dik wordt. Haal de pan van het vuur. Klop de eiwitten samen met het zout en een zoetstof (naar keuze) goed stijf.
Spatel de stijfgeklopte eiwitten voorzichtig door de warme eidooiers.
Giet het mengsel in een taartvorm met antiaanbaklaag en een doorsnee van 28 cm. Zet het geheel circa 35 minuten in een op 180 °C voorverwarmde oven tot de bovenkant goudbruin is.

Gerechten op basis van eiwitten en groenten

Gevogelte

Prei met kalkoen

Voorbereidingstijd: 20 minuten – Bereidingstijd: 30 minuten
Voor 4 personen

- 800 g prei (het wit)
- 200 g kalkoenham
- 1 sjalotje, gesnipperd
- 2 eieren
- 90 g magere kwark
- zout

Snijd de witte delen van de prei in ringetjes en stoom ze in 10 minuten gaar.
Fruit het sjalotje in een licht ingevette koekenpan. Snijd de kalkoen in reepjes en bak ze even mee.
Klop de eieren en het zout door de kwark.
Meng de kalkoen en het sjalotje door de prei en schep het mengsel in een licht ingevette ovenschaal. Giet het ei-kwarkmengsel erover.
Zet het geheel 20 minuten in een op 150 °C voorverwarmde oven.

Wraps met gerookte kip

Voorbereidingstijd: 45 minuten – Bereidingstijd: 20 minuten
Voor 2 personen

- 7 eiwitten
- 60 ml water
- 1 eetlepel maizena
- 175 g gerookte kipfilet, in blokjes
- 200 g champignons, gehakt
- 2 jonge uitjes, gehakt
- 2 eetlepels magere kwark
- 1 eetlepel gehakt bieslook
- 20 sprietjes bieslook, geblancheerd om ze soepel te maken
- zout en peper

Klop de eiwitten met het water en de maizena. Verwarm een pan met antiaanbaklaag en bak hierin steeds een eetlepel van het mengsel tot je 20 pannenkoekjes hebt van 10 cm doorsnee.
Laat ze uitlekken op keukenpapier en zet ze apart.
Bak de kipblokjes, champignons en uitjes vervolgens in een licht inge-

vette koekenpan op middelhoog vuur. Draai het vuur laag en voeg de kwark toe. Bestrooi het geheel met het gehakte bieslook en breng het op smaak met zout en peper.
Verdeel de vulling over de pannenkoekjes, vouw ze dicht en bind vast met een sprietje bieslook. Bewaar ze in de koelkast en serveer ze op kamertemperatuur.

Tikkaspiesjes

Voorbereidingstijd: 25 minuten – Bereidingstijd: 10 minuten
Voor 4 personen

- 800 g kipfilet
- 1 ui
- 1 teen knoflook
- 20 g verse gemberwortel
- 2 eetlepels citroensap
- 100 g magere yoghurt
- ½ eetlepel korianderpoeder
- ½ eetlepel komijnpoeder
- 1 theelepel garam masala
- 2 eetlepels gehakte koriander
- zout en peper

Snijd de kipfilet in reepjes van 2 cm. Pel de ui en knoflook en pureer ze. Voeg de geschilde en geraspte gember toe, het citroensap, de yoghurt, koriander, komijn, garam masala en wat zout. Meng alles goed. Laat de kipreepjes in deze saus 2 uur in de koelkast marineren.
Rijg de stukken kip aan houten spiesjes. Leg ze 8-10 minuten onder de grill en draai ze regelmatig.
Serveer warm, samen met komkommer, verse uitjes en citroen.

Haantjes met citroen en kerstomaatjes

Voorbereidingstijd: 20 minuten – Bereidingstijd: 40 minuten
Voor 2 personen

- 5 takjes tijm
- 2 haantjes
- 1 citroen, in partjes
- 500 ml kippenbouillon
- 2 middelgrote uien
- 2 tenen knoflook
- 700 g kerstomaatjes
- zout en peper

Ris de blaadjes van de tijm en strooi ze over de haantjes die in een ovenschaal liggen. Voeg de partjes citroen toe en zet het geheel 20 minuten in een op 180 °C voorverwarmde oven. Voeg halverwege de baktijd de kippenbouillon toe.
Snipper de ui en hak de knoflook.
Haal de schaal uit de oven. Leg de uien, tomaatjes en knoflook rondom de haantjes. Breng het geheel op smaak met zout en peper.
Meng alles even goed, zodat de groenten bedekt zijn met bouillon. Zet het geheel nog 20 minuten in de oven.

Kalkoenpoten met paprikasaus

Voorbereidingstijd: 30 minuten – Bereidingstijd: 40 minuten
Voor 4 personen

- 2 kalkoenpoten
- 3 rode paprika's
- 50 ml wijnazijn
- 2 eetlepels magere kwark
- zout en peper

Braad de kalkoenpoten rondom bruin in een pan met antiaanbaklaag met wat water. Leg het deksel op de pan en laat ze in circa 40 minuten op laag vuur gaar worden. Draai ze regelmatig om.
Blancheer de paprika's in kokend water, verwijder het vel, de zaadlijsten en zaadjes. Snijd ze in stukken en pureer ze in een keukenmachine.
Haal de kalkoenpoten uit de pan en blus de pan af met de azijn. Voeg

de kwark, paprikapuree en zout en peper toe, en breng aan de kook. Leg de poten op een schaal en schenk de saus erover.

Gebraden kip met champignons en asperges

Voorbereidingstijd: 20 minuten – Bereidingstijd: 20 minuten
Voor 4 personen

- 1 kg champignons
- 2 zoete uien
- 1 kg kipfilet
- 500 g asperges
- 1 bosje fijngehakte peterselie
- citroensap
- zout en peper

Bak de champignons in een pan met antiaanbaklaag op laag vuur en zet ze apart.
Snijd de uien in dunne ringen en fruit ze op laag vuur.
Snijd het vlees in blokjes en doe het bij de ui. Roer alles goed door en laat het vlees in 6 minuten op laag vuur goudbruin worden.
Voeg de in stukjes gesneden asperges toe, de champignons, het citroensap, de peterselie en zout en peper. Leg het deksel op de pan en laat het geheel op middelhoog vuur 10-12 minuten stoven.

Gebakken kip uit Martinique

Voorbereidingstijd: 20 minuten – Bereidingstijd: 50 minuten
Voor 4 personen

- 1 kg kip
- 250 g champignons
- 4 tomaten
- 2 eieren
- 250 g magere kwark
- zout en peper

Snijd de kip in tweeën, breng op smaak met zout en peper, en braad 10 minuten in een licht ingevette braadpan op middelhoog vuur rondom bruin.

Voeg de schoongemaakte champignons toe, leg het deksel op de pan en laat het geheel 40 minuten stoven. Voeg na 30 minuten de in parten gesneden tomaat toe.
Doe de eidooiers in een kleine pan, voeg de kwark toe en roer alles goed door.
Voeg twee pollepels kookvocht toe en meng alles nog eens goed.
Verwarm de saus au bain-marie en schenk hem over de kip.

Konijn met dragon

Voorbereidingstijd: 20 minuten – Bereidingstijd: 40 minuten
Voor 4 personen

- 500 g champignons
- 10 takjes dragon
- 1 konijn, in stukken
- 3 theelepels gehakte sjalot
- 2 theelepels gehakte knoflook
- 1 takje tijm
- 1 laurierblad
- 2 glazen frambozenazijn
- 2 eetlepels magere kwark
- zout en peper

Ris de blaadjes van de dragon.
Maak de champignons schoon, maar snijd ze niet in stukken.
Braad de stukken konijn rondom bruin in een pan. Voeg de sjalot, knoflook, de helft van de dragon, champignons, tijm en het laurierblad toe.
Voeg azijn naar smaak toe. Breng het geheel op smaak met zout en peper, en meng alles goed. Leg het deksel op de pan en laat het geheel dan 40 minuten op laag vuur sudderen.
Haal het konijn uit de pan en laat de saus inkoken. Voeg de kwark en de rest van de dragon toe.

Konijn met paddenstoelen

Voorbereidingstijd: 15 minuten – Bereidingstijd: 45 minuten
Voor 2 personen

- 400 g konijn, in stukken
- ½ ui
- 400 g verse paddenstoelen
- 2 eetlepels magere kwark
- een paar takjes peterselie, fijngehakt
- zout en peper

Braad de stukken konijn rondom bruin in een licht ingevette pan met antiaanbaklaag.
Voeg de gesnipperde ui en de in partjes gesneden paddenstoelen toe.
Voeg wat water toe en breng het geheel op smaak met zout en peper.
Leg het deksel op de pan en laat het op laag vuur 45 minuten sudderen.
Voeg aan het einde van de bereidingstijd 2 eetlepels kwark toe. Roer alles goed door, controleer de smaak en serveer het geheel met fijngehakte peterselie.

Kip met courgette en papillote

Voorbereidingstijd: 10 minuten – Bereidingstijd: 20 minuten
Voor 4 personen

- 8 kipfilets
- 4 courgettes
- 1 teen knoflook
- 1 citroen
- 2 gepelde tomaten

Verwarm de oven voor op 210 °C.
Snijd de kipfilets in reepjes. Was de courgettes en snijd ze in reepjes. Pel en hak de teen knoflook. Schil de citroen en snijd hem fijn. Bak de courgettes, tomaten, knoflook en citroen in een licht ingevette koekenpan met antiaanbaklaag op hoog vuur.
Schep alles goed om en haal de pan van het vuur. Knip vier vellen bak-

papier op maat en leg op elk stuk papier wat kipreepjes en een flinke lepel van het groentemengsel. Vouw het papier dicht.
Leg de pakketjes 15-20 minuten in de oven.

Blinde vinken van kalkoen

Voorbereidingstijd: 30 minuten – Bereidingstijd: 1 uur 10 minuten
Voor 4 personen

- 100 g champignons
- 1 ui
- peterselie
- 4 kalkoenschnitzels
- 4 plakken magere ham
- 500 ml bouillon
- 250 ml water
- zout en peper

Maak de champignons schoon, hak de steeltjes fijn samen met de helft van de ui en de peterselie.
Bak het mengsel op middelhoog vuur 5-6 minuten in een pan met antiaanbaklaag. Breng het geheel op smaak met zout en peper.
Leg op elke schnitzel een plak ham en een flinke lepel van het champignonmengsel. Rol de schnitzel op en bind hem vast. Bak de blinde vinken goudbruin in een pan op middelhoog vuur.
Snijd de rest van de ui in grove stukken en doe ze in de pan. Voeg de bouillon en het water toe. Breng het geheel op smaak met zout en peper, en roer alles goed door.
Leg het deksel op de pan en laat het geheel op laag vuur 45 minuten sudderen. Voeg de champignonhoedjes toe en laat alles dan nog eens 20 minuten zachtjes koken.
Serveer meteen.

Parelhoen met kool

Voorbereidingstijd: 30 minuten – Bereidingstijd: 1 uur 15 minuten
Voor 4 personen

- 1 parelhoen
- ½ citroen, in partjes
- 1 groene kool
- 1 ui met een kruidnagel erin geprikt
- 1 bouquet garni
- 500 ml bouillon
- 1 eetlepel bosbessen
- zout en peper

Verwarm de oven voor op 210 °C.
Vul het parelhoen met citroenpartjes en zet het onder de grill. Laat het in 5 minuten goudbruin kleuren. Maak intussen de kool schoon, snijd hem in acht stukken, blancheer hem 5 minuten in kokend water met zout en laat hem uitlekken.
Leg het parelhoen in een braadpan. Schik de kool eromheen. Voeg de ui, het bouquet garni, de peper en de bosbessen toe, en giet de bouillon erover. Leg het deksel op de pan en laat het geheel op laag vuur 1 uur en 15 minuten sudderen; giet er regelmatig bouillon over. Haal het parelhoen uit de pan als het gaar is en laat de saus op hoog vuur inkoken. Serveer meteen.

Citroenkip met kerrie-gembersaus

Voorbereidingstijd: 30 minuten – Bereidingstijd: 1 uur
Voor 4 personen

- 1 kip
- 1 bouquet garni
- 1 theelepel Provençaalse kruiden
- 2 laurierblaadjes
- 1 kippenbouillonblokje
- 1 paprika, in reepjes
- 5-6 wortels
- 1 ui
- 1 snufje kerriepoeder
- 1 eetlepel maizena
- 1 citroen
- 1 theelepel in plakjes gesneden gember
- zout en peper

Vul een pan voor driekwart met water. Voeg de kip, het bouquet garni, de kruiden, laurier, kippenbouillon, paprika en zout en peper toe. Breng het geheel aan de kook, leg het deksel op de pan en laat het circa 50 minuten op laag vuur sudderen.
Voeg de wortels toe en kook ze 10 minuten mee.
Bak de in ringen gesneden ui, het kerriepoeder, de in water opgeloste maizena, de in partjes gesneden citroen en de plakjes gember in een licht ingevette koekenpan op middelhoog vuur.
Snijd de kip in stukken, haal het vel eraf en leg het vlees in de koekenpan. Breng het geheel nogmaals op smaak met zout en peper, en schep het goed om.
Serveer de wortels als bijgerecht.

Kip met dragon en cantharellen

Voorbereidingstijd: 20 minuten – Bereidingstijd: 25 minuten
Voor 4-6 personen

- 6 kippendijen
- 1 kippenbouillonblokje
- 1 takje dragon
- 1 kg cantharellen
- 1 teen knoflook
- 1 bosje peterselie
- 250 g magere kwark
- zout en peper

Bestrooi de stukken kip met peper en zout en bak ze in een licht ingevette pan goudbruin. Voeg 100 ml bouillon en het afgespoelde takje dragon toe. Breng het geheel aan de kook, leg het deksel op de pan, zet het vuur laag en laat het geheel 25 minuten sudderen.
Sauteer de schoongemaakte cantharellen in een koekenpan samen met de gesnipperde knoflook en peterselie. Breng het geheel op smaak met zout en peper.
Haal vlak voor het serveren de dragon uit de pan en blus de saus op laag vuur af met de kwark. Voeg eventueel nog wat zout en peper toe. Serveer de kip warm met de cantharellen.

Kip met kruiden

Voorbereidingstijd: 15 minuten –
Bereidingstijd: 1 uur – 1 uur 30 minuten
Voor 4 personen

- 1 scharrelkip
- 1 bosje basilicum
- 3 tenen knoflook
- 1 citroen, in partjes
- een paar takjes gedroogde tijm
- een paar takjes gedroogde rozemarijn
- 200 g prei
- 250 g wortels
- zout en peper

Vul de kip een dag van tevoren met het basilicum, de knoflook, citroenpartjes, tijm en rozemarijn. Zet het geheel in de koelkast.
Doe de volgende dag de gewassen en gesneden wortels en prei in een vrij diepe ovenschaal en breng het geheel op smaak met zout en peper. Giet er wat water bij.
Leg de kip erop en zet de schaal 1-1,5 uur in de oven op 210 °C.
Serveer de kip flink warm.

Kip met champignons

Voorbereidingstijd: 20 minuten – Bereidingstijd: 30 minuten
Voor 4 personen

- 800 g kipfilet
- 2 tomaten
- 1 ui
- 2 tenen knoflook
- 600 g champignons
- het sap van 1 citroen
- 250 ml kippenbouillon
- zout en peper

Snijd het vlees in dobbelsteentjes en prak de tomaten. Hak de ui en de knoflook. Maak de champignons schoon en snijd ze in plakjes: besprenkel ze met wat citroensap, zodat ze niet verkleuren. Doe de champignons in een pan met antiaanbaklaag. Breng ze op smaak met zout

en peper. Leg het deksel op de pan en verwarm ze op laag vuur tot ze slinken. Laat ze uitlekken en zet ze apart.
Laat de ui in een pan met wat water zacht worden. Voeg de kip, tomaat, champignons, knoflook, kippenbouillon en zout en peper toe. Leg het deksel op de pan en laat het geheel 20 minuten op laag vuur sudderen.

Kip met paprika

Voorbereidingstijd: 40 minuten – Bereidingstijd: 10 minuten
Voor 4 personen

- 1 ui
- 1 teen knoflook
- 2 takjes munt
- 2 takjes koriander
- 4 kipfilets
- 2 eetlepels sojasaus
- 2 theelepels verse geraspte gember
- 1 groene paprika
- 1 rode paprika
- 140 g bamboescheuten
- zout en peper

Snipper de ui en knoflook. Was de munt- en korianderblaadjes en hak ze fijn. Snijd de kipfilets in reepjes.
Leg de kipreepjes in een ondiepe schaal, giet de sojasaus erop en roer de gember erdoor. Voeg de knoflook, munt en koriander toe. Dek het geheel af met huishoudfolie en laat het 2 uur in de koelkast marineren.
Laat de kipreepjes uitlekken, zeef de marinade en houd deze apart.
Was de paprika, verwijder de zaadjes en zaadlijsten, en snijd hem in reepjes. Was de bamboescheuten en snijd ze in julienne.
Bak de kip in 5 minuten in een licht ingevette koekenpan goudbruin. Voeg de gesnipperde ui toe en fruit hem goudgeel. Voeg de paprikareepjes toe en bak ze 4 minuten mee. Giet de marinade erbij en laat deze in 3 minuten inkoken. Roer tot slot de bamboescheuten erdoor en bak ze nog 1 minuut mee.

Baskische kip

Voorbereidingstijd: 15 minuten – Bereidingstijd: 1 uur
Voor 4 personen

- 1 kip
- 1 kg tomaten
- 1 wortel
- 2 paprika's
- 2 tenen knoflook, gehakt
- 1 bouquet garni
- zout en peper

Snijd de kip in stukken. Bestrooi de stukken met zout en peper, en braad ze op middelhoog vuur in een licht ingevette braadpan goudbruin.
Ontdoe de tomaten van het vel en de pitjes, schrap de wortel en snijd hem in plakjes, was de paprika, verwijder de zaadjes en zaadlijsten en snijd hem in stukjes. Doe de wortel, tomaat, paprika, knoflook en het bouquet garni bij de kip in de pan.
Breng het geheel op smaak met zout en peper. Leg het deksel op de pan en laat het 1 uur op heel laag vuur sudderen.

Kip Marengo

Voorbereidingstijd: 30 minuten – Bereidingstijd: 45 minuten
Voor 4 personen

- 1 kip, in stukken
- 2 uien, in ringen
- 2 sjalotjes, gesnipperd
- 1 teen knoflook, geperst
- 200 ml water
- 2 eetlepels wittewijnazijn
- 1 eetlepel tomatenpuree
- 4 tomaten
- een paar takjes tijm
- 1 takje laurier
- 3 takjes peterselie
- zout en peper

Bestrooi de stukken kip met zout en peper, en braad ze in een licht ingevette braadpan op hoog vuur goudbruin. Haal de pan van het vuur. Haal de kip uit de pan en voeg de uien, sjalotjes en knoflook toe. Bak de groenten 2 minuten op middelhoog vuur.

Voeg het water, de azijn en de tomatenpuree toe, en roer alles goed door.
Voeg de in blokjes gesneden tomaat toe. Doe de kip weer in de pan. Voeg de tijm, laurier en peterselie toe en breng het geheel op smaak met zout en peper.
Leg het deksel op de pan en laat het geheel 45 minuten op laag vuur stoven.

Gepocheerde kip met een lichte kruidensaus

Voorbereidingstijd: 30 minuten – Bereidingstijd: 45 minuten
Voor 4 personen

- 1 kip
- ½ citroen
- 1 ui, doormidden gesneden met een kruidnagel erin geprikt
- 1 wortel, in vieren
- een bosje van 2 preien en 1 stengel bleekselderij
- 1 bouquet garni
- 1 grote teen knoflook, in tweeën
- grof zeezout

Voor de saus:
- 2 eidooiers
- 20 g magere kwark
- 1 eetlepel gehakte fijne kruiden (bieslook, dragon, peterselie, kervel)

Wrijf de kip in met de halve citroen en leg haar in een braadpan. Voeg de groenten, het bouquet garni en de knoflook toe. Giet er koud water bij tot de kip circa 2 cm onderstaat en strooi er nog wat grof zeezout over. Breng het geheel aan de kook, schep het schuim eraf en laat het 40-45 minuten op laag vuur zachtjes koken. Haal aan het eind van de bereidingstijd 150 ml bouillon (zonder vet) uit de pan en houd hem warm.
Doe de eidooiers in een kom en doe er 1 eetlepel koud water bij. Verwarm het eimengsel op laag vuur au bain-marie. Klop de dooiers tot ze de consistentie van room krijgen. Laat het mengsel niet te warm wor-

den en voeg de kwark toe. Meng alles met een garde goed door en voeg al roerend de lauwe bouillon en de fijne kruiden toe. Breng het geheel nogmaals op smaak met zout en peper.
Serveer dit gerecht goed warm.

Provençaalse kip

Voorbereidingstijd: 15 minuten – Bereidingstijd: 50 minuten
Voor 4 personen

- 1 kip
- 1 blikje gepelde tomaten
- 4 tenen knoflook
- 1 bosje peterselie
- zout en peper

Snijd de kip in stukken. Braad ze in een braadpan met antiaanbaklaag op hoog vuur goudbruin. Zet ze apart.
Doe dan de geprakte tomaten, de geperste knoflook, de gesnipperde peterselie en zout en peper in de pan. Leg het deksel op de pan en laat het geheel 30 minuten sudderen op middelhoog vuur.
Doe de kip weer in de pan en – indien nodig – wat water. Dek de pan af en laat alles nog 20 minuten stoven.

Kippensoep met champignons

Voorbereidingstijd: 20 minuten – Bereidingstijd: 15 minuten
Voor 4 personen

- 100 g champignons
- 1 teen knoflook
- 1 eetlepel koriandertakjes
- 1 theelepel peper
- 1 l kippenbouillon
- 2 eetlepels vissaus
- 250 g gare kipfilet
- 2 sjalotjes

Snijd de champignons in plakjes.
Pureer de knoflook, koriander en peper.

Verhit een licht ingevette koekenpan en voeg de champignons en knoflookpuree toe. Fruit het mengsel 1 minuut op hoog vuur. Haal de pan van het vuur en houd het mengsel apart.
Breng in een pan de bouillon aan de kook en voeg de champignons, vissaus en het knoflookmengsel toe. Leg het deksel op de pan en laat het geheel 5 minuten op laag vuur sudderen.
Snijd de kip in kleine stukjes en doe ze in de pan; roer alles goed door. Laat de soep nog een paar minuten op het vuur staan. Garneer het geheel met gesnipperde sjalotjes.

Terrine van konijn

Voorbereidingstijd: 1 uur – Bereidingstijd: 2 uur
Voor 8 personen

- 500 g konijnenvlees
- 4 plakken gekookte, magere ham
- 1 witte ui
- 3 sjalotjes
- 2 eieren, geklutst
- 2 takjes peterselie
- zout en peper

Stoom het konijnenvlees in 20 minuten gaar en pureer het samen met de ham, ui en sjalotjes in een keukenmachine.
Voeg de geklutste eieren en peterselie toe en breng het geheel op smaak met zout en peper.
Schep het mengsel in een terrine en zet het 2 uur au bain-marie in een op 180 °C voorverwarmde oven.
Geef er een naar eigen smaak gekruide sla bij.

Terrine van kip met dragon

Voorbereidingstijd: 40 minuten – Bereidingstijd: 1 uur 30 minuten
Voor 6 personen

- 2 preien
- 3 wortels
- 2 tenen knoflook, gehakt
- 1 opgebonden kip
- 2 gelatineblaadjes
- 500 ml krachtige kruidenbouillon
- 1 ui, gepeld
- 1 bosje dragon
- 200 g kippenlever
- zout en peper

Bereid dit recept een dag van tevoren.
Maak de prei en wortels schoon en snijd ze in plakjes. Doe de kip in een braadpan en giet de bouillon erbij. Voeg nog wat koud water toe, zodat alles goed onderstaat. Voeg de prei, wortel, ui, een paar takjes dragon en zout en peper toe. Breng het geheel aan de kook, leg een deksel op de pan en laat het op laag vuur 1 uur 30 minuten stoven. Schep het schuim er regelmatig af.
Voeg de schoongemaakte kippenlever halverwege de kooktijd toe.
Snijd na het koken het vlees van de kip en de levertjes in grote stukken.
Laat de bouillon tot de helft inkoken en zeef hem. Week de gelatineblaadjes in koud water, knijp ze uit en meng ze door de bouillon.
Leg wat dragonblaadjes op de bodem van een terrine en giet er wat bouillon op. Maak dan om en om laagjes kip, lever, groentemengsel (prei, wortel, ui) en weer kip. Giet de rest van de bouillon erover.
Zet het geheel 24 uur in de koelkast.

Zomerterrine

Voorbereidingstijd: 30 minuten – Bereidingstijd: 1 uur
Voor 8 personen

- 1 kg haricots verts
- 1 wortel
- 1 stengel bleekselderij
- 1 ui
- 5 takjes dragon
- ½ theelepel oregano
- 8 plakken ham (kip of kalkoen)
- 4 eieren
- 300 g magere kwark
- 1 eetlepel magere verse kaas
- zout en peper

Kook de haricots verts 15 minuten zonder deksel in groentebouillon.
Was de wortel, trek de draden uit de selderij en pel de ui. Pureer alles in een keukenmachine.
Laat de groentepuree in een braadpan met antiaanbaklaag op laag vuur in 10 minuten zacht worden.
Laat de haricots verts uitlekken en snijd ze in stukjes. Doe ze in de braadpan en bak ze op laag vuur mee tot er geen vocht meer uitkomt. Schep alles af en toe goed om. Voeg de gehakte dragon toe en de oregano.
Bekleed een cakevorm met een inhoud van 2 liter met bakpapier en laat dat uitsteken over de lange zijden. Bekleed de vorm dan met zes plakken ham, die elkaar overlappen en ook uitsteken. Schep het groentemengsel erin.
Verwarm de oven voor op 180 °C.
Klop de eieren, de kwark en de verse kaas in een kom door elkaar. Breng het geheel op smaak met zout en peper, en giet het mengsel voorzichtig over de groenten.
Sla de ham eroverheen, leg de rest van de ham erbovenop en vouw het bakpapier eroverheen.
Zet het geheel au bain-marie 1 uur in de oven.
Laat de terrine afkoelen en zet haar dan nog 4 uur in de koelkast.

Vlees

Draadjesvlees

Voorbereidingstijd: 20 minuten – Bereidingstijd: 30 minuten
Voor 1 persoon

- 70 g wortel
- het wit van 1 prei
- 70 g bleekselderij
- 250 g runderfilet
- 1 bouquet garni
- ½ ui
- 1 kruidnagel
- zout en peper

Schrap en was de wortels, maak de prei en de selderij schoon. Snijd de groenten in flinke stukken.
Giet 1 liter water in een pan. Voeg het bouquet garni, de halve ui met een kruidnagel erin geprikt en de groenten toe. Breng het geheel op smaak met zout en peper, en breng het aan de kook.
Voeg het vlees toe en leg het deksel op de pan. Laat het geheel op middelhoog vuur circa 30 minuten koken. Haal het vlees uit de pan, snijd het in stukken en leg het op een schaal. Garneer het geheel met de groenten.

Rundvlees met aubergine

Voorbereidingstijd: 15 minuten – Bereidingstijd: 15 minuten
Voor 4 personen

- 300 g aubergine
- 400 g middelgrote tomaten
- 1 teen knoflook, gehakt
- 1 eetlepel gehakte peterselie
- 500 g mager rundvlees, in dunne reepjes
- zout en peper

Schil de aubergines en snijd ze in dunne plakken. Bestrooi ze met zout en laat ze 15 minuten uitlekken.
Snijd de tomaten in vieren, bestrooi ze met knoflook en peterselie.
Doe de groenten in een pan, breng het geheel aan de kook en laat het 30 minuten op middelhoog vuur sudderen.

Bedek de bodem van een kleine ovenschaal met de helft van het groentemengsel. Voeg nog wat zout en peper toe. Leg het vlees erop en bedek het met de rest van de groenten. Zet het geheel 15 minuten in een op 200 °C voorverwarmde oven. Voeg eventueel nog wat zout en peper toe, en zet de schotel een paar minuten onder de grill.

Rundvlees met paprika

Voorbereidingstijd: 20 minuten – Bereidingstijd: 1 uur
Voor 4 personen

- 320 g mager lendenstuk
- 4 kleine rode paprika's
- 3 kleine uien
- 2 eetlepels sojasaus

VOOR DE MARINADE:

- 1 theelepel maizena
- 4 eetlepels sojasaus

Snijd het vlees in heel dunne plakjes.
Maak de marinade. Meng het rundvlees door de marinade en zet het geheel 2 uur in de koelkast.
Snijd de paprika en ui in dunne plakjes. Bak ze even kort in een licht ingevette braadpan, voeg een glas water toe en laat het geheel op heel laag vuur 30 minuten sudderen. Voeg het gemarineerde vlees, 2 eetlepels sojasaus en indien nodig nog wat water toe; roer alles goed door. Breng het geheel op smaak met zout en peper.

Boeuf Bourguignon

Voorbereidingstijd: 10 minuten – Bereidingstijd: 2 uur
Voor 6 personen

- 1 runderbouillonblokje
- 250 ml kokend water
- 500 g mager rundvlees, in dobbelsteentjes
- 1 theelepel maizena
- 1 theelepel gehakte peterselie
- 1 teen knoflook, gesnipperd
- 1 laurierblad
- 3 middelgrote uien, gesnipperd
- 150 g champignons, in plakjes
- zout en peper

Los de bouillon op in het kokende water.
Vet een grote koekenpan in en braad het vlees goudbruin. Schep het vlees dan in een ovenschaal.
Doe de maizena, bouillon, peterselie, knoflook en laurier in de koekenpan. Breng het geheel aan de kook en laat het wat inkoken.
Giet het mengsel over het rundvlees; zorg ervoor dat het vlees onderstaat en voeg indien nodig nog wat water toe.
Dek het geheel af en zet het 2 uur in een op 200 °C voorverwarmde oven.
Sauteer de ui en champignons in een licht ingevette pan met antiaanbaklaag op middelhoog vuur. Schep het ui-champignonmengsel een halfuur voor het einde van de bereidingstijd bij het vlees.

Gesauteerd rundvlees met groenten

Voorbereidingstijd: 30 minuten – Bereidingstijd: 5 minuten
Voor 4 personen

- 500 g mals rundvlees
- 6 eetlepels sojasaus
- 1 eetlepel sherryazijn
- 1 eetlepel maizena
- 1 bosje witte ui
- 1 groene paprika
- 1 theelepel Hermesetas®, vloeibaar
- 2 wortels
- zout en peper

Snijd het vlees in plakjes. Doe ze in een kom en voeg de sojasaus, sherryazijn en maizena toe. Meng het geheel goed door en laat het 30 minuten in de koelkast marineren.
Laat het vlees uitlekken en houd de marinade apart. Braad het vlees dan 1 minuut in een koekenpan op hoog vuur rondom bruin. Houd het warm.
Snijd de uien overlangs in stukken.
Snijd de groene paprika doormidden, verwijder de zaadjes en zaadlijsten, en snijd hem in dunne reepjes. Schrap de wortels en snijd ze in plakjes.
Bak de groenten 3 minuten in een licht ingevette pan met antiaanbaklaag. Voeg de marinade, het vlees, de Hermesetas en zout en peper toe.
Laat alles nog 1 minuut al roerend op middelhoog vuur doorwarmen. Serveer meteen.

Rundvleesspiesjes Turgloff

Voorbereidingstijd: 20 minuten – Bereidingstijd: 10 minuten
Voor 2 personen

- 500 g tomaten
- 1 teen knoflook, gepeld
- 600 g mager rundvlees
- 200 g paprika
- 200 g ui
- het sap van 1 citroen
- selderiezout
- dragonzout
- zout en peper

Ontvel de tomaten, verwijder de zaadjes en prak het vruchtvlees fijn. Laat ze samen met de knoflook in een koekenpan op laag vuur zacht worden. Breng het geheel op smaak met zout en peper.
Snijd het vlees, de paprika en ui in stukken.
Rijg de stukken om en om aan de spiesjes. Gril ze 10 minuten in de oven of op de barbecue.

Schuif de ingrediënten van de spiesjes op de borden, besprenkel ze met citroensap en breng het geheel op smaak met selderie- en dragonzout. Schep een flinke lepel tomatenpuree op de borden. Voeg indien nodig nog wat zout en peper toe, en garneer het geheel met peterselie.

Gevulde champignons

Voorbereidingstijd: 25 minuten – Bereidingstijd: 25 minuten
Voor 2 personen

- 100 g spinazie
- ½ theelepel kalfsfond
- 400 g champignons (grote om te kunnen vullen)
- het sap van 1 citroen
- 1 teen knoflook
- 1 plak magere gekookte ham
- 2 plakken kalkoenbacon
- peterselie
- 1 eetlepel haverzemelen
- 3-4 eetlepels magere melk
- zout en peper

Kook de spinazie 10 minuten in kokend water met wat zout en de kalfsfond.
Maak de champignons schoon, snijd de steeltjes eraf en besprenkel ze met citroensap.
Hak de knoflook, ham, kalkoenbacon, peterselie, uitgelekte spinazie en champignonsteeltjes fijn. Meng de zemelen erdoor en breng het geheel op smaak met zout en peper. Vul de champignonhoedjes met het mengsel.
Zet het geheel 20-25 minuten in een op 180 °C voorverwarmde oven.

Gevulde courgette

Voorbereidingstijd: 10 minuten – Bereidingstijd: 30 minuten
Voor 4 personen

- 4 courgettes
- 500 g mager rundergehakt
- 1 pot salsa verde (een saus van groene tomaat en chilipepers)
- 200 g magere kwark
- zout en peper

Snijd de courgettes overlangs doormidden en verwijder de pitten.
Breng de helften op smaak met zout en peper.
Meng het vlees, de salsa verde en de kwark.
Vul de courgettehelften met het mengsel.
Zet het geheel 30 minuten in een op 240 °C voorverwarmde oven.

Rundvlees met azijn en courgette

Voorbereidingstijd: 1 uur – Bereidingstijd: 40 minuten
Voor 4 personen

- 600 g mager rundvlees
- 1 ui
- 3 tenen knoflook
- 4 courgettes
- 1 glas water
- 100 ml frambozenazijn
- 2 takjes peterselie
- ¼ bosje dragon
- zout en peper

Snijd het vlees in dunne stukjes van gelijke grootte.
Pel en hak de ui en knoflook. Was de courgettes en snijd ze julienne.
Fruit de knoflook, ui en courgette in een licht ingevette koekenpan met antiaanbaklaag. Roer het mengsel goed door, zodat de groenten aan alle kanten verkleuren. Giet er wat water bij, leg het deksel op de pan en laat het geheel op laag vuur 20 minuten sudderen. Zet het apart.
Bak in dezelfde pan het vlees op hoog vuur in 5 minuten goudbruin en voeg de azijn toe. Meng alles goed en voeg dan de groenten toe.

Laat alles 15 minuten stoven en voeg op het laatste moment de gehakte peterselie en dragon toe. Breng het geheel op smaak met zout en peper, en serveer het gloeiend heet.

Kalfsoesters met geraspte wortel met citroen

Voorbereidingstijd: 15 minuten – Bereidingstijd: 10 minuten
Voor 4 personen

- 500 g wortels, geschrapt en grof geraspt
- 4 dunne kalfsoesters
- de rasp en het sap van 1 onbespoten citroen

Blancheer de wortels en laat ze uitlekken.
Bak de wortels met de citroenrasp in een koekenpan en dek af met een vel bakpapier. Haal het bakpapier weg en voeg het citroensap toe.
Braad de kalfsoester in een licht ingevette koekenpan in 7-8 minuten op laag vuur goudbruin. Giet er dan het kookvocht van de wortels bij en laat het geheel inkoken.

Auberginelasagne van Kreta

Voorbereidingstijd: 20 minuten – Bereidingstijd: 30 minuten
Voor 2 personen

- 600 g mager rundergehakt
- 2 tenen knoflook
- 15 muntblaadjes
- 400 g tomatenpulp uit blik
- 2 aubergines
- 200 ml magere yoghurt
- zout en peper

Bak het gehakt rul. Voeg de geperste knoflook, gesnipperde munt en tomatenpulp toe.
Leg het deksel op de pan en laat het geheel 20 minuten sudderen. Roer het van tijd tot tijd goed door.

Was en snijd de aubergine in de lengte in plakken van 1 cm dik. Bak ze in heel weinig olie 3 minuten aan elke kant in een pan op middelhoog vuur. Leg ze dan op een vel keukenpapier.
Giet de yoghurt over het vlees, roer het geheel goed door en breng het op smaak met zout en peper. Neem een kleine ovenschaal en leg er naast elkaar twee plakken aubergine in. Bedek ze met het gehaktmengsel. Dan volgen er weer twee plakken aubergine, enz. Eindig met een laag aubergine. Zet het geheel 5 minuten in een op 200 °C voorverwarmde oven en serveer meteen.

Kalfsfilet en papillote

Voorbereidingstijd: 15 minuten – Bereidingstijd: 16 minuten
Voor 4 personen

- 1 ui
- 1 wortel
- het wit van 1 prei
- 4 kalfsfilets van elk ca. 120 g
- 4 eetlepels gehakte fijne kruiden (peterselie, tijm, bieslook)
- zout en peper

Verwarm de oven voor op 180 °C.
Maak de groenten schoon en snijd ze in plakjes. Bak ze in een braadpan op laag vuur lichtbruin, voeg 2 eetlepels water toe en breng het geheel op smaak met zout en peper. Leg het deksel op de pan en laat het 6 minuten sudderen.
Knip vier stukken aluminiumfolie af. Leg op elk stuk folie in het midden wat groenten, kruiden en een kalfsfilet. Vouw de folie dicht en leg de pakketjes 10 minuten in de oven.

Lever met tomaat

Voorbereidingstijd: 20 minuten – Bereidingstijd: 20 minuten
Voor 1 persoon

- 1 plak kalfslever (100 g)
- 1 middelgrote ui
- 1 mooie tomaat (of 1 blik tomatenpulp)
- ½ theelepel oregano
- 1 afgestreken theelepel maizena
- 1 takje bladpeterselie
- zout en peper

Snijd de plak lever overlangs door in 3-4 heel dunne plakken. Snipper de ui.
Verwarm een licht ingevette koekenpan met antiaanbaklaag en bak de ui zacht. Haal de ui uit de pan zodra hij goudgeel is. Zet hem apart.
Bak in dezelfde pan de tomaat met de oregano. Haal de pan van het vuur.
Haal de plakjes lever door de maizena zodat ze helemaal bedekt zijn en breng ze op smaak met zout en peper.
Bak de lever op middelhoog vuur aan beide kanten.
Leg de plakken lever op een warm bord. Schep de warme tomaat en goudbruine ui eromheen.
Bestrooi het geheel met peterselie en serveer meteen.

Gehaktschotel met courgette

Voorbereidingstijd: 20 minuten – Bereidingstijd: 35 minuten
Voor 4 personen

- 1 kg courgette
- 500 g mager rundergehakt
- 400 g tomatensaus
- 1 teen knoflook
- 3 takjes peterselie
- zout en peper

Snijd de gewassen courgettes in plakjes en stoom ze 20 minuten.
Bak intussen het vlees in 10 minuten rul in een licht ingevette pan met antiaanbaklaag. Voeg de tomatenpuree, knoflook, peterselie en zout en

peper toe. Laat het geheel nog 5 minuten sudderen. Meng alles door de courgette.

Gehakt met bloemkool

Voorbereidingstijd: 20 minuten – Bereidingstijd: 45 minuten
Voor 6 personen

- 1,2 kg bloemkool
- 600 g mager rundergehakt
- 1 ui, gesnipperd
- 2 tenen knoflook, gehakt
- 1 bosje peterselie, gehakt
- zout en peper

Stoom de bloemkool 15 minuten en pureer hem.
Meng dan het vlees, de ui, knoflook, peterselie en zout en peper.
Schep het kruidengehakt in een ovenschaal, verdeel er dan de bloemkool over en zet het geheel 45 minuten in een op 180 °C voorverwarmde oven.

Kalfsschenkel à la Niçoise

Voorbereidingstijd: 30 minuten – Bereidingstijd: 1 uur 45 minuten
Voor 4 personen

- 1 kalfsschenkel van 700 g
- 2 middelgrote wortels
- 2 middelgrote uien
- 1 teen knoflook
- 750 g stevige tomaten
- ½ citroen
- 1 bouquet garni
- 1 afgestreken eetlepel tomatenpuree
- zout en peper

Verdeel de schenkel in stukken.
Schrap en was de wortel en pel de ui. Snijd ze in plakjes. Pel en hak de teen knoflook. Ontvel de tomaten en verwijder de zaadjes. Snijd de tomaten in grote stukken.
Was de halve citroen, dep hem droog en snijd hem in vieren.

Doe de wortel en ui in een pan met antiaanbaklaag en giet er een glas water bij. Breng het geheel aan de kook. Voeg zodra het kookt de stukken tomaat, gehakte knoflook, gesneden citroen en het bouquet garni toe. Breng alles weer aan de kook, onder af en toe roeren. Voeg dan de schenkel en zout en peper naar smaak toe. Leg het deksel op de pan en laat het geheel 1 uur en 45 minuten op laag vuur stoven.
Haal het bouquet garni er aan het eind van de bereidingstijd uit, voeg de tomatenpuree toe en eventueel nog wat zout en peper.
Haal de stukken schenkel uit de pan en leg ze op een schaal. Schep de groenten en de saus erover.

Osso bucco

Voorbereidingstijd: 15 minuten – Bereidingstijd: 1 uur 30 minuten
Voor 4 personen

- 1 kalfsschenkel van 1 kg, in stukjes
- 1 kg wortels
- de rasp en het sap van 1 onbespoten citroen
- de rasp van 1 onbespoten sinaasappel
- 8 afgestreken theelepels tomatenpuree
- 500 ml warm water
- 1 snufje oregano
- zout en peper

Laat de stukken schenkel in een op 150 °C voorverwarmde grill in 7-8 minuten goudbruin worden.
Schrap en was de wortels en snijd ze in plakjes. Doe ze in een pan. Voeg de citroenrasp, het citroensap en de sinaasappelrasp toe. Verdun de tomatenpuree met water en giet het mengsel bij de wortels.
Voeg de oregano en zout en peper toe. Laat het geheel op middelhoog vuur sudderen. Voeg de schenkel toe en leg het deksel op de pan. Laat alles op laag vuur circa 1,5 uur stoven.

Kalfsbrood met yoghurt

Voorbereidingstijd: 10 minuten – Bereidingstijd: 1 uur
Voor 2 personen

- 750 g kalfsgehakt
- 400 g wortels, geraspt
- 1 ui, gehakt
- 1 teen knoflook, gehakt
- 200 g champignons, gehakt
- 250 ml magere yoghurt

Meng alle ingrediënten en schep het mengsel in een taartvorm.
Zet het geheel 1 uur in een op 180 °C voorverwarmde oven.
Het kalfsbrood kan warm of koud gegeten worden.

Gehaktbrood met champignons

Voorbereidingstijd: 20 minuten – Bereidingstijd: 50 minuten
Voor 2 personen

- 400 g mager rundvlees
- 400 g mager kalfsvlees
- 2 eieren
- 1 ui, gesnipperd
- 2 tenen knoflook, gehakt
- 150 g champignons
- een paar takjes tijm, rozemarijn en peterselie
- zout en peper

Hak het rund- en kalfsvlees fijn. Werk er de eieren, gesnipperde ui en gepelde knoflook door. Breng het geheel op smaak met zout en peper, en voeg de gemalen kruiden toe.
Laat de in stukjes gesneden champignons zachtjes slinken in een licht ingevette pan en roer ze door het mengsel.
Schep het mengsel in een cakevorm en zet het 45-50 minuten in een op 240 °C voorverwarmde oven.
Dit gehaktbrood kan warm of koud geserveerd worden.

Lichtgele kalfsrolletjes

Voorbereidingstijd: 20 minuten – Bereidingstijd: 1 uur
Voor 2 personen

- 2 hardgekookte eieren
- 2 kalfsoesters van 100 g
- 100 g ui, gesnipperd
- 100 g champignons, gehakt
- een paar takjes tijm
- 1 takje laurier
- 2 glazen tomatensap
- zout en peper

Rol elk hardgekookt ei in een platte grote kalfsoester, die aan de binnenkant gezouten is. Bind de rolletjes stevig dicht met een touwtje.
Leg ze in een kleine ovenschaal. Voeg de ui, champignons, tijm en laurier toe. Breng het tomatensap op smaak met zout en peper, en het giet het erover.
Dek het geheel af met folie en zet het circa 1 uur in een voorverwarmde oven op 160 °C.
Haal de folie van de schaal en verwijder de touwtjes. Snijd de rolletjes overlangs doormidden, zodat de eidooier te zien is. Schenk de saus erover, garneer het geheel met de uien en champignons en serveer meteen.

Runderragout met paprika

Voorbereidingstijd: 20 minuten – Bereidingstijd: 30 minuten
Voor 4 personen

- 450 g rundvlees, in dobbelsteentjes
- ½ ui, gehakt
- 1 teen knoflook, gehakt
- 1 eetlepel tomatenpuree
- 500 ml runderbouillon
- 1 groene paprika
- 1 rode paprika
- 1 wortel
- 1 meiraapje
- 1 eetlepel maizena
- 2 eetlepels water
- zout en peper

Bak het vlees in een pan op hoog vuur rondom goudbruin. Voeg de ui en knoflook toe en bak ze al roerend 1 minuut mee. Voeg de tomaten-

puree en bouillon toe. Breng het geheel op smaak met zout en peper, en breng het aan de kook. Leg het deksel op de pan en laat het 20 minuten op laag vuur stoven.
Haal intussen de zaadjes en zaadlijsten uit de paprika's en snijd ze in reepjes. Snijd ook de wortel en het meiraapje in stukjes. Doe de groenten in de pan en laat alles nog 5 minuten sudderen.
Voeg de in water opgeloste maizena toe en laat alles nog 3 minuten zachtjes koken, onder af en toe roeren.

Kalfsfricandeau met uitjes

Voorbereidingstijd: 30 minuten – Bereidingstijd: 50 minuten
Voor 4 personen

- 10 g boter
- 2 middelgrote wortels
- 1 grote ui
- 1 teen knoflook
- 2 sjalotjes
- 1 kg kalfsfricandeau
- 20 uitjes
- 2 kruidnagels
- zout en peper

Verwarm de oven voor op 220 °C.
Vet met 10 g boter een ovenschaal in. Schrap de wortel, pel de ui, knoflook en sjalotjes, snijd ze fijn en leg ze op de bodem van de schaal. Leg het vlees erop. Bestrooi het geheel met zout en peper. Giet een glas water in de schaal.
Zet het kalfsvlees 20 minuten in de oven. Pel intussen de kleine uitjes. Haal het vlees uit de oven. Leg het op een voorverwarmde schaal. Zeef het braadvocht.
Doe het vlees en de jus weer in de ovenschaal. Prik in twee van de uitjes een kruidnagel en doe alle uitjes in de schaal.
Verlaag de oventemperatuur naar 190 °C en zet het geheel nog ongeveer 30 minuten in de oven.
Serveer de kalfsfricandeau in de ovenschaal.

Hamrolletjes met fijne kruiden

Voorbereidingstijd: 15 minuten – Bereidingstijd: geen
Voor 2 personen

- 50 g radijs
- 50 g komkommer
- ½ tomaat
- 2 sjalotjes
- 4 augurken
- 3-4 sprietjes bieslook
- 3 takjes peterselie
- 1 snufje dragon
- 250 g magere kwark
- 4 plakken kalkoenham
- 1 tomaat
- 1 hardgekookt ei
- 4 augurken
- zout en peper

Hak de radijs, sjalotjes, komkommer en fijne kruiden fijn.
Meng de kwark erdoor en breng het geheel op smaak met zout en peper.
Bestrijk de plakken hem met het mengsel en rol ze op.
Serveer de hamrolletjes met een halve tomaat, een hardgekookt ei, de augurken en een radijsje.

Omeletrol met rundvlees

Voorbereidingstijd: 30 minuten – Bereidingstijd: 15 minuten
Voor 4 personen

- 700 g runderfilet, in dunne plakjes
- 2 eetlepels sojasaus
- 2 tenen knoflook, gepeld
- 1 theelepel geraspte gember
- 10 eieren
- 60 ml water
- 1 grote ui, gesnipperd
- 1 wortel, gehakt
- 120 g taugé
- 6 sprietjes bieslook, in stukjes
- zout en peper

Meng de helft van de sojasaus, de knoflook en de gember door het rundvlees. Dek het geheel af en zet het minstens 3 uur of een nacht in de koelkast.

Klop de eieren los in een kom met zout en peper en wat water. Bak er in een licht ingevette koekenpan acht dunne omeletten van en houd ze warm.
Sauteer in een koekenpan op middelhoog vuur het rundvlees en de ui tot het vlees goudbruin is. Voeg de rest van de sojasaus toe en breng het geheel aan de kook. Voeg de wortel toe en bak hem mee tot hij zacht is.
Voeg dan de taugé en het bieslook toe en roer alles goed door.
Verdeel het mengsel over de omeletten, rol ze op en snijd ze in tweeën.

Salade met zalm en rookvlees

Voorbereidingstijd: 20 minuten – Bereidingstijd: 2-3 minuten
Voor 4 personen

- 1 zakje gemengde sla
- 30 plakjes runderrookvlees
- 1 theelepel paraffineolie
- 3 eetlepels balsamicoazijn
- 700 g verse zalm
- een paar rozepeperkorrels
- een paar takjes kervel
- zout en peper

Verdeel de sla over de borden.
Leg de plakken rookvlees erop.
Maak de vinaigrette.
Snijd de zalm in blokjes en bak ze kort op hoog vuur in een koekenpan met antiaanbaklaag.
Verdeel de vis over de borden en sprenkel de vinaigrette erover. Bestrooi het geheel met roze peper en garneer het met takjes kervel.
Serveer meteen.

Salade met kruidenyoghurt

Voorbereidingstijd: 15 minuten – Bereidingstijd: geen
Voor 2 personen

- 300 g champignons
- 1 bosje radijs
- 4 plakken kipfilet met kruiden
- 4 grote augurken
- 125 ml magere yoghurt
- 1 teen knoflook, gehakt
- 1 theelepel mosterd
- een paar takjes peterselie
- een paar sprietjes bieslook
- zout en peper

Maak de champignons en radijs schoon en snijd ze in blokjes.
Snijd de kip in blokjes en de augurken in plakjes en schep ze door het champignon-radijsmengsel.
Roer voor de saus de knoflook, mosterd, gehakte peterselie, het gehakte bieslook en zout en peper door de yoghurt. Meng alles in een kom en zet de salade tot gebruik in de koelkast.

Gebakken kalfsvlees met paprika

Voorbereidingstijd: 30 minuten – Bereidingstijd: 1 uur
Voor 4 personen

- 800 g kalfslende
- 1 grote ui
- 2 theelepels paprikapoeder
- 200 g magere kwark
- 2 wortels
- 1 mooie courgette
- 2 tomaten
- zout en peper

Snijd het vlees in blokjes en breng ze op smaak met zout en peper.
Pel de ui en snipper hem heel fijn.
Bak de stukken kalfsvlees in een licht ingevette koekenpan op middelhoog vuur – blijf nog 10 minuten met een spatel roeren tot het vlees begin te verkleuren. Voeg dan de ui en paprikapoeder toe. Breng het geheel op smaak met zout en peper. Roer het goed door en laat het in-

koken. Draai het vuur laag en laat alles nog 30 minuten stoven.
Schrap de wortel en was de courgette. Snijd de wortel julienne. Snijd de courgette in lange linten. Was de tomaten en snijd ze in tweeën. Verwijder de zaadjes, het sap en het vel, en snijd ze in stukjes.
Stoom de wortel, courgette en tomaten 15 minuten.
Voeg vlak voor het opdienen de kwark toe. Breng het geheel nogmaals op smaak met zout en peper. Schik het kalfsvlees op een schaal en leg de groenten eromheen.

Mexicaanse gehaktballetjes

Voorbereidingstijd: 20 minuten – Bereidingstijd: 8 minuten
Voor 1 persoon

- 250 g mager gehakt
- 4 snufjes Mexicaanse kruidenmix
- 2 middelgrote tomaten

Meng de kruiden door het gehakt en rol er kleine balletjes van. Bak ze in een licht ingevette hete koekenpan op hoog vuur – om ze te roosteren zonder ze uit te drogen.
Ontvel de twee tomaten en snijd ze in stukjes. Bak ze in een koekenpan op laag vuur samen met de Mexicaanse kruiden tot een dikke saus. Giet de saus over de balletjes en serveer meteen.

Hongaars gehakt

Voorbereidingstijd: 15 minuten – Bereidingstijd: 9 minuten
Voor 4 personen

- 6 kleine uitjes
- 1 rode paprika
- 500 g mager rundergehakt
- 2 eetlepels paprikapoeder
- 100 ml tomatensaus
- 1 mespuntje cayennepeper
- ½ citroen
- 80 g magere kwark
- zout en peper

Pel en hak de uien. Was de paprika, verwijder de zaadjes en zaadlijsten, en snijd ze in blokjes. Fruit de ui en paprika 5 minuten in een licht ingevette koekenpan op laag vuur.
Haal de groenten uit de pan en bak het gehakt 2 minuten op hoog vuur rul. Voeg het paprikapoeder, de tomatensaus, ui en paprika toe. Laat het geheel al roerend nog 2 minuten zachtjes bakken en voeg naar smaak nog wat zout, peper en cayennepeper toe.
Pers de halve citroen uit en meng het sap door de kwark. Haal de pan van het vuur en schep de kwark door het gehakt-groentemengsel. Warm het geheel nog even door zonder het te laten koken en serveer meteen.

Eieren

Courgettepannenkoek

Voorbereidingstijd: 15 minuten – Bereidingstijd: 4-5 minuten
Voor 3 personen

- 6 eieren
- 6 courgettes
- 1 teen knoflook
- een paar takjes peterselie
- zout en peper

Splits de eieren en klop het eiwit stijf. Hak de courgettes heel fijn. Meng ze samen met de gehakte knoflook, gehakte peterselie en zout en peper door de eidooiers. Spatel dan het stijfgeklopte eiwit er voorzichtig door.
Bak in een licht ingevette pan op middelhoog vuur een dikke pannenkoek van het mengsel.

Courgetteballetjes

Voorbereidingstijd: 15 minuten – Bereidingstijd: 5 minuten
Voor 1 persoon

- 2 courgettes
- 1 ei
- 4 eetlepels maizena
- zout en peper

Rasp de gewassen maar niet geschilde courgettes. Bestrooi ze met zout (ongeveer 1 eetlepel) en laat ze 1 uur uitlekken.
Voeg het ei toe en breng het geheel op smaak met zout en peper.
Voeg de maizena toe en rocr alles goed door tot een compacte massa. Draai er balletjes van. Verhit een druppel olie in een koekenpan en bak hierin de courgetteballetjes op middelhoog vuur aan alle kanten bruin.

Witlofschotel

Voorbereidingstijd: 15 minuten – Bereidingstijd: 10-15 minuten
Voor 4 personen

- 1 kg witlof
- 2 eieren
- 1 glas magere melk (150 ml)
- 1 snufje nootmuskaat
- zout en peper

Maak het witlof schoon en verwijder eventueel de harde kern. Blancheer het 2 minuten in een pan met kokend water met zout. Laat het goed uitlekken.
Klop de eieren met de melk los in een kom. Breng het mengsel op smaak met zout en peper en wat geraspte nootmuskaat.
Leg het witlof in een ovenschaal en giet het eimengsel erover. Zet het geheel in een voorverwarmde oven op 150 °C tot de eieren gestold zijn.

Groenteflan

Voorbereidingstijd: 10 minuten – Bereidingstijd: 15 minuten
Voor 2 personen

- 4 hele eieren
- 1 snufje nootmuskaat
- 500 ml magere melk
- 1 eetlepel gehakte fijne kruiden
- 200 g gehakte groenten (tomaat, courgette, broccoli, aubergine, wortel)
- zout en peper

Klop de eieren los in een ovenschaal samen met de kruiden en giet er de lauwwarme melk bij. Voeg de groenten toe en zet het geheel 15 minuten au bain-marie in een op 180 °C voorverwarmde oven.

Provençaalse groentetaart

Voorbereidingstijd: 35 minuten – Bereidingstijd: 30 minuten
Voor 4 personen

- 500 g courgette
- 2 rode paprika's
- 4 tomaten
- 1 ui
- 4 eieren
- 4 eetlepels magere melk
- 1 eetlepel magere verse kaas
- zout en peper

Was de courgettes en snijd ze met schil in stukjes.
Was de paprika's, verwijder de zaadjes en zaadlijsten, en snijd ze in stukjes.
Leg de tomaten een paar tellen in kokend water, ontvel en ontpit ze en snijd ze in stukjes.
Snipper de ui.
Verwarm de oven voor op 200 °C.
Bak alle groenten 20 minuten in een licht ingevette koekenpan op hoog vuur. Breng het geheel op smaak met zout en peper.
Klop de eieren los en doe de melk en kaas erbij. Breng het geheel op smaak met zout en peper.
Voeg alle groenten toe, meng goed en schep het mengsel in een cakevorm met antiaanbaklaag.
Bak het geheel 30 minuten au bain-marie in de oven.

Fritata van tonijn met courgette

Voorbereidingstijd: 20 minuten – Bereidingstijd: 10 minuten
Voor 4 personen

- 3 dunne courgettes
- 1 witte ui
- 6 eieren
- 1 blikje tonijn in water
- 2 eetlepels balsamicoazijn
- zout en peper

Was de courgettes en snijd ze in blokjes. Snipper de ui. Stoom de courgette en ui of kook ze in een bouillon op middelhoog vuur. Breng het geheel op smaak met zout en peper en roer af en toe door.
Klop intussen de eieren los in een kom samen met de tonijn en zout en peper. Voeg de courgette en ui toe. Giet het mengsel in een koekenpan, roer even door en leg het deksel op de pan.
Bak het geheel 10 minuten op laag vuur tot de eieren gestold zijn. Laat de fritata 1 uur afkoelen, snijd hem in stukjes en breng hem op smaak met azijn.

Kwark met komkommer

Voorbereidingstijd: 10 minuten – Bereidingstijd: geen
Voor 2 personen

- ½ teen knoflook
- ½ komkommer
- ¼ gele (of groene) paprika
- 1 rode paprika
- 250 g magere kwark
- ½ citroen
- zout en peper

Pers de knoflook.
Was en schil de komkommer en snijd hem in blokjes van 1 x 1 cm.
Was, ontpit en snijd de paprika's in dunne reepjes.
Meng in een slakom de kwark, komkommer, geperste knoflook en het citroensap. Breng het geheel op smaak met zout en peper.
Garneer het geheel met reepjes paprika.

Gegratineerd witlof

Voorbereidingstijd: 20 minuten – Bereidingstijd: 10 minuten
Voor 2 personen

- 2 uien, gesnipperd
- 400 g witlof
- 3 hardgekookte eieren
- 400 ml tomatensap
- zout en peper

Fruit de ui en stoom het witlof. Leg de groenten dan in een ovenschaal. Prak de eieren fijn en verdeel ze over de groenten.
Breng het tomatensap op smaak met zout en peper, en sprenkel het over het ei-groentemengsel. Gratineer het geheel 10 minuten in een voorverwarmde oven op 220 °C.

Eierquiche

Voorbereidingstijd: 10 minuten – Bereidingstijd: 40 minuten
Voor 2 personen

- 4 eieren
- 500 ml magere melk
- 1 snufje nootmuskaat
- 6 tomaten
- een paar blaadjes basilicum
- zout en peper

Verwarm de oven voor op 180 °C.
Klop de eieren los met de melk en breng het mengsel op smaak met zout, peper en nootmuskaat.
Giet het in schaaltjes en zet het geheel au bain-marie 40 minuten in de oven.
Maak intussen een tomatensaus met basilicum. Haal de eierquiche uit de vorm en serveer hem warm. Geef de tomaten-basilicumsaus erbij.

Courgettebrood met ham

Voorbereidingstijd: 25 minuten – Bereidingstijd: 15 minuten
Voor 4 personen

- 100 g magere gekookte ham
- 500 g courgette
- 4 eieren
- 60 g magere verse kaas
- 1 snufje nootmuskaat
- 1 eetlepel maizena
- 4 eetlepels magere melk
- zout en peper

Snijd de ham fijn.
Schil de courgettes en snijd ze in dunne plakjes. Leg ze in een magnetronschaal, giet er wat water bij en kook ze 5 minuten op maximaal vermogen. Laat ze uitlekken en breng ze op smaak met zout en peper.
Pureer de courgettes met de eieren, ham, verse kaas en zout en peper in een keukenmachine.
Los de maizena op in wat koud water, meng hem door de warme melk en roer dit mengsel door de courgette-eipuree tot een glad 'deeg'.
Bekleed een cakevorm met huishoudfolie, schep het deeg erin en dek het geheel af met folie.
Zet het 15 minuten in de magnetron op hoog.
Controleer of het brood gaar is en laat het 5 minuten rusten voor je het uit de magnetron haalt.

Aubergine uit de oven

Voorbereidingstijd: 20 minuten – Bereidingstijd: 30 minuten
Voor 2 personen

- 400 g aubergine
- 3 eieren
- 200 ml magere melk
- nootmuskaat
- een paar takjes tijm
- een paar takjes rozemarijn
- zout en peper

Was en schil de aubergine. Snijd hem in dikke plakken en leg ze in een

vergiet. Bestrooi ze met fijn zout en laat ze 30 minuten uitlekken. Dep ze droog en blancheer ze 5 minuten. Laat ze weer uitlekken.
Verwarm de oven voor op 150 °C.
Klop de eieren los met wat zout en peper. Meng de melk erdoor, rasp er wat nootmuskaat over en strooi er wat tijm en rozemarijn bij. Leg de plakken aubergine in een ovenschaal en bedek ze met het eimengsel.
Zet het geheel 30 minuten in de oven.

Salade van omeletreepjes met ansjovis

Voorbereidingstijd: 15 minuten – Bereidingstijd: 10 minuten
Voor 2 personen

- 3 tomaten
- 8 ansjovisfilet, afgespoeld
- 1 eetlepel kappertjes
- 10 sprietjes bieslook
- 5 takjes koriander
- 5 takjes peterselie
- 8 eieren
- 2 eetlepels magere melk
- 6 zongedroogde tomaten
- peper

Was en snijd de tomaten in partjes. Bak ze in een koekenpan 5 minuten op middelhoog vuur samen met de ansjovis en kappertjes.
Hak de kruiden fijn.
Klop de eieren samen met de melk en kruiden los. Breng het geheel op smaak met peper.
Bak van de eieren twee grote dunne omeletten (van 5 mm dik). Laat ze afkoelen en snijd ze in reepjes van 2 cm breed.
Leg de omeletreepjes op een schaal samen met de ansjovistomaten. Voeg de zongedroogde tomaten toe en meng alles goed.

Champignonsoufflé

Voorbereidingstijd: 15 minuten – Bereidingstijd: 10 minuten
Voor 1 persoon

- 150 g champignons
- 1 ei, gesplitst, + 1 eiwit
- 3 eetlepels magere kwark
- zout en peper

Verwarm de oven voor op 180 °C.
Blancheer de champignons 2 minuten in een pan met kokend water en pureer ze. Meng een eidooier, de kwark en twee stijfgeklopte eiwitten door de champignonpuree. Breng het geheel op smaak met zout en peper, en schep het in een ovenschaaltje. Zet de champignonsoufflé circa 10 minuten in de oven.

Komkommersoufflé met basilicum

Voorbereidingstijd: 20 minuten – Bereidingstijd: 15 minuten
Voor 4 personen

- ½ komkommer
- 4 eetlepels magere kwark
- ½ bosje vers basilicum
- 6 eiwitten
- 4 tomaten
- 2 uien
- zout en peper

Pureer de komkommer en meng hem met de kwark. Breng het geheel op smaak met zout en peper.
Hak acht blaadjes basilicum fijn en meng ze door het komkommermengsel.
Klop de eiwitten stijf en spatel ze er ook door.
Ontvel de tomaten en verwijder de zaadjes. Snijd het vlees in stukjes. Snipper de uien en bak ze zacht in een pan met antiaanbaklaag. Voeg de tomaat en eventueel wat zout en peper toe, en laat het geheel 15 minuten op laag vuur zachtjes koken.

Vet vier ovenschaaltjes licht in. Schep er in elk schaaltje een lepel tomaat-ui in en vul het voor twee derde met het eimengsel.
Zet het geheel 15 minuten in een op 200 °C voorverwarmde oven.
Haal de soufflés uit de oven en garneer ze met een blaadje basilicum.

Groene groentesoep

Voorbereidingstijd: 35 minuten – Bereidingstijd: 20 minuten
Voor 4 personen

- 2 eieren
- 1 ui
- het wit van 2 preien
- 5-6 slablaadjes
- 1 bosje zuring
- 250 g spinazie
- 2 kippenbouillonblokjes
- 3 sprietjes bieslook
- wat kervel
- zout en peper

Kook de eieren hard.
Pel en snipper de ui.
Maak de prei, sla, zuring en spinazie schoon en hak ze fijn.
Bak de ui en prei in een licht ingevette koekenpan op middelhoog vuur.
Voeg de andere groenten toe en laat het geheel al roerend in 5 minuten op laag vuur slinken.
Giet er 1 liter warm water bij, breng het geheel op smaak met zout en peper, en voeg de bouillonblokjes toe.
Laat het geheel 10 minuten koken op middelhoog vuur. Pel de hardgekookte eieren en pureer ze.
Meng de eierpuree door de groentesoep en bestrooi het geheel met bieslook en kervel.

Groentetaart

Voorbereidingstijd: 15 minuten – Bereidingstijd: 40 minuten
Voor 2 personen

- 1 kleine paprika
- 1 courgette
- 4 grote champignons
- 1 kleine ui
- 3 eieren
- 700 ml magere melk
- 1 zakje gist
- zout en peper

Verwarm de oven voor op 230 °C.
Was de paprika, courgette, champignons en ui en snijd ze in heel kleine stukjes.
Meng in een kom de eieren, melk en gist. Breng het mengsel op smaak met zout en peper.
Roer alle groenten door het eimengsel.
Schep het mengsel in een taartvorm met antiaanbaklaag en zet het dan circa 40 minuten in de oven.

Elzasser pizza

Voorbereidingstijd: 15 minuten – Bereidingstijd: 30 minuten
Voor 4 personen

- 35 g maizena
- 2 eieren
- 200 g magere kwark
- 250 g jonge uitjes
- 200 g magere gekookte ham, gehakt
- 2 tomaten
- 90 g magere verse kaas

Splits de eieren. Meng de maizena, eidooiers en kwark. Sla de eiwitten heel stijf en spatel ze door het kwarkmengsel.
Schep het mengsel in een taartvorm met antiaanbaklaag. Bestrooi het met de fijngesneden uitjes, voeg eventueel wat zout en peper toe en verdeel er de gehakte ham, in dunne plakjes gesneden tomaat en verse kaas over.

Zet het geheel 25-30 minuten in een voorverwarmde oven op 210 °C. Serveer warm of koud.

Gevulde tomaten

Voorbereidingstijd: 15 minuten – Bereidingstijd: 30 minuten
Voor 4 personen

- 8 tomaten
- 4 eieren
- 200 g magere gekookte ham
- vers basilicum
- zout en peper

Verwarm de oven 20 minuten voor op 220 °C.
Was de tomaten. Snijd het kapje eraf en hol ze uit. Bestrooi ze vanbinnen met zout, keer ze om en laat ze uitlekken.
Klop de eieren los in een kom met zout en peper. Voeg de in reepjes gesneden ham en wat gescheurd vers basilicum toe, en roer alles goed door.
Verdeel dit mengsel over de tomaten, leg ze in een ovenschaal en zet het geheel 25-30 minuten in de oven.

Vis, schaal- en schelpdieren

Rogvleugel met saffraan

Voorbereidingstijd: 20 minuten – Bereidingstijd: 45 minuten
Voor 2 personen

- het wit van 2 preien
- 2 wortels
- 2 stengels bleekselderij
- 1 ui met een kruidnagel erin geprikt
- 1 bouquet garni
- 1 snufje saffraan
- 1 mooie rogvleugel van ca. 400 g
- 1 eetlepel gehakte peterselie
- zout en peperkorrels

Maak alle groenten schoon en snijd ze in plakjes. Kook ze 10 minuten in ruim water met zout. Voeg de ui, het bouquet garni, 5 peperkorrels en de saffraan toe. Leg het deksel op de pan en laat het geheel 25 minuten op laag vuur zachtjes koken.
Haal de groenten met een schuimspaan uit de pan en leg dan de rogvleugel in het hete water. Pocheer hem in 10 minuten. Laat hem uitlekken en leg hem op een bord. Verdeel de groenten eromheen, schenk een pollepel kookvocht over de vis en bestrooi het geheel met gehakte peterselie.

Dieetamuses

Voorbereidingstijd: 30 minuten – Bereidingstijd: geen
Voor 6 personen

- 1 komkommer
- 3 wortels
- 1 bosje radijs
- 1 venkelknol
- een paar stengels bleekselderij
- 200 g garnalen
- 200 g surimi

Voor de saus:

- 250 g magere kwark
- een paar blaadjes basilicum
- een paar takjes dragon
- een paar takjes peterselie
- zout en peper

Maak de groenten schoon en snijd ze julienne. Pel de garnalen.
Leg alle ingrediënten op een schaal en geef er de kruidensaus bij.

Asperges met surimi

Voorbereidingstijd: 10 minuten – Bereidingstijd: geen
Voor 2 personen

- 500 g verse asperges (gekookt in bouillon) of 2 potten witte asperges (580 ml)
- 2 tomaten
- 10 staafjes surimi
- 4 hardgekookte eieren
- 1 kropsla

Maak een mooi gebonden en gekruide vinaigrette à la Dukan.
Snijd de gekookte asperges, tomaten en surimistaafjes in stukjes en doe ze in een kom.
Snijd de eieren overlangs doormidden.
Maak de sla schoon en houd de mooiste bladeren apart.
Leg ze in een waaier op een ronde schaal en leg op elk blad een gelijke portie van het aspergemengsel.
Geef er de vinaigrette à la Dukan bij.

Visragout

Voorbereidingstijd: 20 minuten – Bereidingstijd: 15 minuten
Voor 2 personen

- 250 ml mosselen
- 500 visfilet (zeeduivel, zonnevis), in blokjes
- 75 g champignons
- 250 ml visfond
- het sap van ½ citroen
- 2 eetlepels magere kwark
- 1 eidooier
- zout en peper

Maak de mosselen schoon.
Bak de dobbelsteentjes vis en de champignons in een licht ingevette koekenpan goudbruin. Voeg de mosselen toe en giet de visfond erbij. Laat het geheel nog 10-15 minuten sudderen. Haal het mengsel uit de pan, laat het uitlekken en houd het kookvocht apart.

Haal de mosselen uit de schelp en houd ze warm.
Laat het kookvocht half inkoken en zeef het. Meng het citroensap, de kwark en de eidooier erdoor en bind de saus op heel laag vuur, zonder hem te laten koken. Voeg eventueel nog wat zout en peper toe. Schep de saus over de vis en groenten. Serveer meteen.

Kabeljauw met saffraan

Voorbereidingstijd: 15 minuten – Bereidingstijd: 40 minuten
Voor 4 personen

- 500 g tomaten
- 2 tenen knoflook, geperst
- 100 g prei (het wit)
- 100 g ui, gehakt
- 1 venkel
- 3 takjes peterselie
- 1 snufje saffraan
- 4 moten kabeljauw
- 100 ml water
- zout en peper

Snijd de tomaten in stukken en doe ze in een pan. Voeg de knoflook, gesneden prei, ui, gesneden venkel, peterselie en saffraan toe. Breng het geheel op smaak met zout en peper en laat het 30 minuten sudderen op laag vuur.
Voeg de vis toe en zet hem onder water. Breng alles snel aan de kook op hoog vuur. Draai het vuur dan lager en laat het mengsel nog eens 10 minuten zachtjes koken.

Kabeljauwpannetje

Voorbereidingstijd: 10 minuten – Bereidingstijd: 20 minuten
Voor 2 personen

- 300 g courgette
- 300 g kabeljauwfilet
- 1 teen knoflook, geperst
- tijm
- zout en peper

Schil de courgette en snijd hem in plakken.
Leg een laagje courgette in een pan met antiaanbaklaag en voeg dan een laagje vis toe. Breng het geheel op smaak met zout en peper. Eindig met een laag courgette en voeg wat zout en peper toe. Bestrooi het geheel met de geperste knoflook en de tijm.
Leg het deksel op de pan en laat het geheel 20 minuten op heel laag vuur stoven.

Broccoli met zalm

Voorbereidingstijd: 15 minuten – Bereidingstijd: 35 minuten
Voor 3 personen

- 2 eieren
- 2 blikjes (van elk 180 g) zalm in water
- 300 g rauwe broccoliroosjes
- 250 g magere hüttenkäse
- 1 kleine ui, gesnipperd
- 200 g groene paprika, gehakt
- zout en peper

Meng de geklopte eieren, uitgelekte zalm, broccoliroosjes, hüttenkäse, gesnipperde ui, gehakte paprika en zout en peper.
Schep het mengsel in een vierkante ovenschaal met antiaanbaklaag en zet het geheel circa 35 minuten in een voorverwarmde oven op 180 °C.
Geef er een salade of groente naar keuze bij.

Provençaalse kabeljauw uit de oven

Voorbereidingstijd: 25 minuten – Bereidingstijd: 15 minuten
Voor 2 personen

- 8 plakken magere gekookte ham
- 8 tomaten
- 2 uien
- 2 tenen knoflook
- 4 kabeljauwfilets
- een paar blaadjes basilicum
- zout en peper

Verwarm de oven voor op 240 °C.
Leg in vier ovenschaaltjes een plak ham.
Ontvel de tomaten en verwijder de zaadjes. Snijd ze in reepjes, verdeel ze over de schaaltjes en strooi er wat zout over.
Snipper de ui en knoflook en verdeel ze over de tomaat.
Rol de resterende vier plakken ham elk om een kabeljauwfilet en leg ze in de schaaltjes. Breng het geheel op smaak met zout en peper.
Zet de schaaltjes 10-15 minuten in de oven. Strooi er voor het serveren nog wat versgemalen peper over en garneer het geheel met basilicum.

Gevulde koolvis

Voorbereidingstijd: 15 minuten – Bereidingstijd: 30 minuten
Voor 4 personen

- 50 g ui, gehakt
- 25 g bleekselderij, gehakt
- 1 eetlepel peterselie, gehakt
- 250 ml tomatensap
- 100 g krabvlees
- 1 ei
- 800 g koolvis in 8 plakken
- zout en peper

Verwarm de oven voor op 200 °C.
Meng voor de vulling de ui, selderij, peterselie, helft van het tomatensap, krab en het ei goed door. Breng het geheel op smaak met zout en peper.
Bestrijk vier plakken vis met het groentemengsel en leg er dan een tweede plak bovenop.

Leg de visstapeltjes in een ovenschaal. Giet de rest van het tomatensap over de vis en zet het geheel 30 minuten in de oven.
Serveer gloeiend heet.

Komkommer met tonijnvulling

Voorbereidingstijd: 15 minuten – Bereidingstijd: geen
Voor 1 persoon

- 1 komkommer
- 1 blikje tonijn (ca. 120 g) in water
- 4 theelepels mayonaise Dukan
- zout en peper

Was en schil de komkommer. Snijd hem doormidden en snijd elke helft weer overlangs in tweeën. Verwijder de zaadjes met een lepel, maar laat een rand van minstens 1 cm dik over.
Meng in een kom de tonijn en de mayonaise. Voeg wat zout en peper toe.
Vul de stukken komkommer met het mengsel.

Tomaten gevuld met garnalen

Voorbereidingstijd: 15 minuten – Bereidingstijd: geen
Voor 2 personen

- 500 g tomaten
- 600 g gekookte garnalen, gepeld
- 2 hardgekookte eieren

Voor de saus:

- 2 hardgekookte eidooiers
- 1 theelepel mosterd
- 1 eetlepels citroensap
- 125 ml magere yoghurt
- zout en peper

Was de tomaten en hol ze netjes uit. Bestrooi ze vanbinnen met wat zout en keer ze om.

Meng de garnalen en de twee fijn geprakte hardgekookte eieren. Vul de tomaten met het mengsel.
Prak de twee hardgekookte eieren samen met de eetlepel mosterd voor de saus. Giet het citroensap erbij. Breng het geheel op smaak met zout en peper, en roer de yoghurt er geleidelijk door.
Schep de saus over de gevulde tomaten.

Zalm op een bedje van prei

Voorbereidingstijd: 15 minuten – Bereidingstijd: 30 minuten
Voor 2-3 personen

- 500 g prei
- 4 eetlepels gehakte sjalot
- 4 zalmfilets
- 1 eetlepel dille
- zout en peper

Was de prei en snijd hem in stukken. Bak de sjalot en prei op laag vuur in 20 minuten zacht. Voeg indien nodig wat water toe. Breng het geheel op smaak met zout en peper, en zet het apart (houd het warm).
Wrijf de zalm in met peper en zout en leg hem op de huid in een pan met antiaanbaklaag. Bak hem 10 minuten op middelhoog vuur. Leg de zalm op een bedje van prei en bestrooi hem met dille.

Gestoofde kabeljauwfilet

Voorbereidingstijd: 20 minuten – Bereidingstijd: 20 minuten
Voor 2 personen

- 4 courgettes
- 4 kabeljauwfilets
- 3 citroenen
- 4 tenen knoflook
- een paar takjes tijm
- zout en peper

Was de courgettes en snijd ze met schil in plakjes.
Leg een laagje courgetteschijfjes in een pan met antiaanbaklaag en voeg

dan een laagje visfilet toe. Breng het geheel op smaak met zout en peper, en eindig met een laagje courgette. Besprenkel het geheel dan met citroensap, verdeel de geperste knoflook en de tijm erover, en laat het 20 minuten op heel laag vuur stoven.

Chinese fondue

Voorbereidingstijd: 25 minuten – Bereidingstijd: 10 minuten
Voor 4 personen

- 600 g groenten naar smaak (kool, wortel, champignons, selderij, tomaat)
- 300 ml krachtige kruidenbouillon
- 400 g vis (zeeduivel, kabeljauw of dorade)
- 100 g inktvis, in reepjes
- 12 scampi's (of garnalen)
- 12 mosselen
- 1 citroen
- 1 l bouillon
- een paar takjes kervel

Maak de groenten schoon en stoom of kook ze – per soort – in bouillon beetgaar. Laat ze afkoelen en verdeel ze over vier borden.
Snijd de vis in stukken en leg ze op een schaal (of op vier borden) samen met de inktvis, scampi's en schoongeborstelde mosselen. Garneer het geheel met schijfjes citroen.
Breng de bouillon aan de kook en voeg de kervel toe. Zet de bouillon op tafel op een warme rechaud.
Dompel om en om een stuk groente of vis in de bouillon en geef er een passend sausje bij.

Krulsla met zalm

Voorbereidingstijd: 10 minuten – Bereidingstijd: geen
Voor 1 persoon

- 1 hart van een krop krulsla
- 60 g gerookte zalm
- een paar takjes dille
- het sap van 1 citroen
- 1 eetlepel paraffineolie met dragon
- 1 eetlepel zalmkuit
- zout en peper

Was de sla en droog hem.
Snijd de zalm in reepjes. Doe de zalm, sla en dille in een slakom. Besprenkel het geheel met een saus van zout, peper en citroensap en bestrooi het met zalmkuit. Serveer meteen.

Mosselen uit de oven

Voorbereidingstijd: 30 minuten – Bereidingstijd: 10 minuten
Voor 4 personen

- 750 g courgette
- 1 kg mosselen
- 1 laurierblad
- 2 theelepels maizena
- 1 eetlepel magere crème fraîche
- 8 eidooiers
- 8 theelepels magere kwark
- 6 eetlepels geraspte comté
- zout en peper

Snijd de courgette in plakken en bak ze op middelhoog vuur in een licht ingevette koekenpan lichtbruin. Breng ze op smaak met zout en peper, zet het vuur laag en laat ze onder af en toe roeren in 10 minuten slinken. Laat ze uitlekken.
Was en schrob intussen de mosselen schoon. Laat ze – met de laurier – in een grote pan met ruim kokend water opengaan; verwijder eventuele gesloten exemplaren. Laat ze uitlekken en houd het kookvocht apart.
Verwarm de oven voor op 240 °C.
Klop in een pannetje de maizena samen met een glas mosselsap en de

crème fraîche goed door. Voeg zout en peper toe en laat het mengsel op laag vuur indikken tot een mooie gebonden saus. Haal de pan van het vuur.
Meng in een kom de eidooiers en de kwark. Roer er al kloppend de saus door.
Doe de courgettes in een ovenschaal, verdeel de mosselen erover en schenk tot slot de saus eroverheen. Bestrooi het geheel met de comté.
Zet het geheel 5 minuten in de oven en dan nog 2 minuten onder de grill.

Ovenschotel van kammosselen met spinazie

Voorbereidingstijd: 30 minuten – Bereidingstijd: 15 minuten
Voor 2 personen

- 480 g vlees van kammosselen
- 500 g verse spinazie
- 2 eidooiers
- 3 eetlepels magere kwark
- 300 ml visfond
- 15 g maizena
- zout en peper

Verwarm de oven voor op 210 °C.
Sauteer het vlees van de kammosselen in een koekenpan op middelhoog vuur. Houd het apart.
Maak de spinazie schoon, dep hem droog en snijd hem fijn. Meng de spinazie door het vlees van de kammosselen en laat het geheel in een paar minuten op laag vuur slinken. Houd het warm.
Meng de eidooiers en de kwark in een pan. Voeg de visfond en de maizena toe. Breng het geheel op smaak met zout en peper, en roer alles goed door. Verdeel het spinaziemengsel over twee ovenschaaltjes, giet de saus erover en laat het geheel 15 minuten in een voorverwarmde oven op 200 °C goudbruin worden.
Serveer het gerecht in de ovenschaaltjes.

Sint-jakobsschelpen met gemarineerde groenten

Voorbereidingstijd: 10 minuten – Bereidingstijd: 25 minuten
Voor 2 personen

- de rasp en het sap van 1 onbespoten citroen
- 2 eetlepels verse koriander
- 16 sint-jakobsschelpen
- 1 aubergine
- 2 courgettes
- 4 eetlepels tomatensaus
- zout en peper

Was de citroen. Rasp de schil eraf en pers hem uit. Maak een marinade van de rasp en het citroensap, de gehakte koriander en zout en peper.
Stoom de sint-jakobsschelpen 3 minuten.
Was de groenten. Snijd de aubergine in blokjes en de courgette in plakjes. Stoom ze 10 minuten. Bak ze dan nog 10 minuten in een met bakpapier beklede koekenpan. Verdeel de marinade over de gebakken groenten.
Doe wat tomatensaus op twee borden en verdeel er de groenten over. Leg de sint-jakobsschelpen erbovenop en zet het geheel 1 uur voor het serveren in de koelkast.

Masala van zeebaars

Voorbereidingstijd: 15 minuten – Bereidingstijd: 20 minuten
Voor 4 personen

- 1 eetlepel garam masala
- 125 g magere yoghurt
- 400 g zeebaars, zonder graat
- 200 g scampi's
- 2 sjalotjes, gesnipperd
- 400 g wortels, in reepjes
- 200 g venkel, in reepjes
- 2 eetlepels groentebouillon
- 8 eetlepels magere yoghurt
- 1 eetlepel maizena
- 75 g waterkers
- 1 schijf citroen
- zout en peper

Klop de garam masala door 125 g yoghurt. Snijd de vis in blokjes, pel de garnalen en bestrooi ze met zout. Meng ze door de yoghurt. Laat het geheel 1 uur in de koelkast marineren.
Laat de vis en scampi's uitlekken op keukenpapier. Bak ze een paar tellen op hoog vuur en houd ze apart op een afgedekt bord.
Bak de sjalotjes al omscheppend zacht in een licht ingevette koekenpan met antiaanbaklaag. Voeg de wortels en venkel toe, giet de groentebouillon erbij, leg het deksel op de pan en laat het geheel zachtjes koken tot de groenten zacht zijn.
Meng de maizena door de yoghurt en voeg 1 theelepel koud water toe. Giet dit mengsel al kloppend bij de groenten en breng het geheel aan de kook. Voeg dan de gebakken stukjes vis en scampi's toe en daarna de waterkers, de citroen en zout en peper.

Broccolimousse met surimi

Voorbereidingstijd: 15 minuten – Bereidingstijd: 10 minuten
Voor 6 personen

- 6 gelatineblaadjes
- 1 kg diepvriesbroccoli
- 12 theelepels magere kwark
- 280 g surimi, geraspt
- 1 blik tomatenpulp
- 1 theelepel basilicum
- ½ theelepel knoflook
- zout en peper

Week de gelatineblaadjes in koud water en laat ze goed oplossen.
Kook de broccoliroosjes en pureer ze daarna in een keukenmachine.
Bind de broccolipuree met de kwark en een klein beetje water en voeg ook de geraspte surimi toe. Breng het geheel op smaak met zout en peper. Verdeel de mousse over zes met huishoudfolie beklede schaaltjes, zodat de mousse straks makkelijker uit de vorm komt. Laat hem minstens 4 uur opstijven in de koelkast.
Meng voor de tomatensaus het basilicum, de knoflook en zout en peper door de gepureerde tomaten. Zet de saus in de koelkast.
Stort de mousse op de borden en verdeel de tomatensaus erover.

Mousse van gerookte zalm

Voorbereidingstijd: 15 minuten – Bereidingstijd: 5 geen
Voor 2 personen

- 120 g gerookte zalm
- 260 g magere kwark
- 1 gelatineblaadje
- 1 theelepel tomatenpuree
- het sap van 1 citroen
- 1 snufje paprikapoeder
- 2 eiwitten, stijfgeklopt
- 4 stengels bleekselderij

Pureer de gerookte zalm en meng hem door de kwark. Los de gelatine op in 1 eetlepel warm water en roer het mengsel door de kwarkmassa. Meng de tomatenpuree, het citroensap en het paprikapoeder. Werk het mengsel door de kwarkmassa. Klop alles op met de garde goed door en voeg voorzichtig de stijfgeklopte eiwitten toe.
Schep het mengsel in twee schaaltjes en zet ze 2-3 uur in de koelkast. Serveer het geheel met wat bleekselderij of blaadjes witlof.

Zalm en groente en papillote

Voorbereidingstijd: 20 minuten – Bereidingstijd: 20 minuten
Voor 4 personen

- 1 kleine courgette
- 2 tomaten
- 100 g champignons
- 4 zalmfilets
- 1 citroen, in partjes
- 2 theelepels rozepeperkorrels
- zout en peper

Verwarm de oven voor op 210 °C.
Was de courgette en snijd hem met schil in dunne plakjes.
Ontvel de tomaten en snijd ze in partjes. Verwijder de zaadjes zorgvuldig.
Maak de champignons schoon en snijd ze in dunne plakjes.
Leg de zalmfilets elk op een stuk bakpapier.
Verdeel de groenten om de zalm, evenals de citroenpartjes.

Breng het geheel op smaak met peper, zout en wat rozepeperkorrels. Vouw de pakketjes goed dicht en leg ze in een ovenschaal. Verwarm ze 20 minuten in de oven en serveer meteen.

Zalmfilet met munt

Voorbereidingstijd: 20 minuten – Bereidingstijd: 30 minuten
Voor 2 personen

- 500 g verse zalmfilet
- 2-3 eetlepels gehakte munt
- 1 grote courgette
- 1 plak gerookte zalm
- 2 gelatineblaadjes
- 1 eetlepel magere kwark
- zout en peper

Laat de zalmfilets *en papillote* in 30 minuten gaar worden in de oven of in aluminiumfolie gewikkeld in de stoompan. Laat ze afkoelen.
Was en hak de verse munt. Was de courgette en snijd hem met schil overlangs in dunne plakken.
Bak de plakken courgette in een licht ingevette koekenpan met anti-aanbaklaag. Laat ze afkoelen.
Verdeel de zalmfilets in grove stukken en hak de gerookte zalm fijn.
Week de gelatineblaadjes in koud water en knijp ze uit. Meng de gelatine door de zalm, evenals de kwark en de munt. Breng het geheel op smaak met zout en peper.
Bekleed vier schaaltjes met plakken courgette en schep het zalmmengsel erin. Laat het geheel 12 uur in de koelkast opstijven; haal het 30 minuten voor het serveren uit de koelkast.

Gebakken surimi, garnalen en champignons

Voorbereidingstijd: 25 minuten – Bereidingstijd: 7-8 minuten
Voor 4 personen

- 2 tenen knoflook
- 1 bosje peterselie
- 500 g champignons
- 500 g staafjes surimi
- 500 g grote garnalen

Hak de knoflook en de peterselie door elkaar en zet apart. Maak de champignons schoon, snijd ze klein en zet apart.
Snijd de staafjes surimi in blokjes. Pel de garnalen en snijd ze in blokjes. Bak de garnalen in een koekenpan met antiaanbaklaag op middelhoog vuur, voeg de champignons toe en bak ze 1 minuut mee. Voeg dan de blokjes surimi toe. Breng het geheel op smaak met zout en peper, schep het knoflook-peterseliemengsel erdoor en serveer meteen.

Gegratineerde vis

Voorbereidingstijd: 15 minuten – Bereidingstijd: 30 minuten
Voor 2 personen

- 500 g witvisfilet (kabeljauw, dorade of koolvis)
- 4 eiwitten
- 4 eetlepels magere kwark
- 1 pot asperges
- 125 g garnalen
- een paar takjes peterselie
- zout en peper

Roer de eiwitten door de kwark en voeg de vis toe; roer alles goed door. Schep het mengsel in een ovenschaal samen met de garnalen, asperges en peterselie.
Bak het geheel 30 minuten in de oven op 180 °C.

Vis en papillote

Voorbereidingstijd: 20 minuten – Bereidingstijd: 10 minuten
Voor 4 personen

- 2 uien
- 2 tomaten
- 2 wortels
- 1 groene paprika
- 2 stengels bleekselderij
- 2 takjes peterselie
- 4 plakken magere vis
- zout en peper

Verwarm de oven voor op 250 °C.
Hak de uien, tomaten, wortels, paprika, selderij en peterselie fijn en meng alles goed. Breng het geheel op smaak met zout en peper.
Was de vis en dep hem droog.
Knip vier stukken bakpapier af en leg op elk papier een stuk vis en wat gehakte groenten.
Vouw het pakketje goed dicht, verlaag de oventemperatuur tot 180 °C en leg de pakketjes 10 minuten in de oven.

Tonijnquiche zonder korst met tomaat

Voorbereidingstijd: 15 minuten – Bereidingstijd: 25 minuten
Voor 3 personen

- 2 hele eieren
- 4 eiwitten
- 2 kleine tomaten
- 1 blikje tonijn in water
- 2 eetlepels magere kwark
- 2 snufjes Provençaalse kruiden
- zout en peper

Kluts twee eieren en bak er een omelet van in een licht ingevette koekenpan. Snijd de tomaten in heel dunne plakjes en verdeel de tonijn in stukken. Meng de kwark en de kruiden erdoor.
Klop de eiwitten stijf en spatel ze voorzichtig door de tonijnmassa.
Leg de omelet in een ovenschaal en schep het tonijnmengsel erbovenop.
Bak het gerecht 20-25 minuten in de oven op 180 °C.

Mosselragout met prei

Voorbereidingstijd: 30 minuten – Bereidingstijd: 30 minuten
Voor 4 personen

- 2 kg mosselen
- 1 kg prei
- 1 snufje geraspte nootmuskaat
- 150 ml bechamelsaus à la Dukan
- 1 bosje peterselie
- 1 bosje kervel
- 1 takje dragon
- het sap van een ½ citroen
- zout en peper

Was de mosselen en laat ze al roerend in een pan met ruim water op hoog vuur opengaan. Haal ze uit de schelp. Zeef het kookvocht en giet dit in een braadpan. Houd het apart.
Was de prei en gooi een deel van het groen weg. Snijd hem in ringen. Pocheer de prei 5 minuten in het mosselsap met het deksel op de pan. Verwijder het deksel, voeg zout, peper en nootmuskaat toe, en laat het geheel nog 20 minuten zachtjes koken. Maak de bechamelsaus à la Dukan.
Hak de peterselie, kervel en dragon grof. Roer de kruiden door de bechamelsaus. Voeg het mosselvlees en het citroensap toe; roer alles goed door. Voeg wanneer de prei klaar is de bechamelsaus toe. Meng alles voorzichtig.
Serveer de mosselragout flink heet.

Vistimbaaltjes met tomatensaus

Voorbereidingstijd: 25 minuten – Bereidingstijd: 25 minuten
Voor 2 personen

- 400 g scholfilet
- 1 bosje kervel
- 1 ei
- 2 volle eetlepels magere kwark
- 800 g tomaten
- 1 snufje tijm
- 1 takje laurier
- 1 teen knoflook
- 1 sjalotje
- zout en peper

Pureer de scholfilets. Breng ze op smaak met peper en zout en voeg er wat kervel, een losgeklopt ei en 2 eetlepels kwark aan toe; roer alles goed door. Schep het mengsel in twee licht ingevette ovenschaaltjes en bak ze 20-25 minuten in een voorverwarmde oven op 180 °C. Wacht een paar minuten voor je de timbaaltjes stort. Ontvel intussen voor de tomatensaus de tomaten en prak ze fijn. Laat ze een kwartier sudderen met de fijngehakte tijm, laurier, knoflook en het sjalotje. Schep de saus over de timbaaltjes en serveer meteen.

Kabeljauw uit de oven met courgette en tomaat

Voorbereidingstijd: 20 minuten – Bereidingstijd: 30 minuten
Voor 4 personen

- 400 g courgette
- 300 g tomaten
- 1 eetlepel water
- 2 takjes tijm
- 4 tenen knoflook
- 1 moot kabeljauw van ca. 700 g
- zout en peper

Verwarm de oven voor op 210 °C. Snijd de puntjes van de courgettes, was ze en snijd ze in plakjes van 3 mm dik. Ontvel de tomaten, verwijder de zaadjes en snijd het vruchtvlees fijn. Doe het water en de groenten in een rechthoekige ovenschaal. Bestrooi het geheel met de tijm en breng het op smaak met zout en peper.
Pel de knoflooktenen en snijd ze in drieën. Was de vis en dep hem droog. Kerf de huid aan elke kant zes keer in. Stop in elke inkeping een stuk knoflook en strooi er wat peper en zout over.
Leg de vis midden tussen de groenten in de schaal en zet het geheel dan 30 minuten in de oven. Schep de groenten af en toe even om.
Wanneer de vis gaar is, verwijder dan de huid, til de filets van de graat en verdeel ze samen met de groenten over de borden. Besprenkel het geheel met kookvocht en serveer meteen.

Komkommerrolletjes met garnaal

Voorbereidingstijd: 20 minuten – Bereidingstijd: geen
Voor 2 personen

- 2 hardgekookte eieren
- 100 g garnalen, gekookt en gepeld
- 100 g magere kwark
- een paar druppels tabasco
- ½ komkommer
- 4 eetlepels gehakt bieslook
- zout en peper

Prak de hardgekookte eieren fijn en meng er de garnalen, kwark en tabasco door. Breng het geheel op smaak met zout en peper, en zet het apart.
Schil de komkommer en snijd overlangs in dunne plakken. Verwijder de zaadjes.
Bestrijk de plakken komkommer met het garnalenmengsel en bestrooi ze met bieslook.
Rol de plakken op, leg ze op een schaal en serveer ze lekker koel.

Zalmrolletjes

Voorbereidingstijd: 20 minuten – Bereidingstijd: 20 minuten
Voor 8 personen

- 2 blikjes palmharten
- 8 plakken gerookte zalm
- 60 g magere verse kaas
- 125 g magere kwark
- 2 snufjes Provençaalse kruiden
- 1 druppel frambozenazijn
- zout en peper

Rol de palmhartjes in een plak gerookte zalm.
Meng de kwark, kruiden, azijn en zout en peper door de kaas.
Doe de helft van het mengsel in een ovenschaal, leg de zalmrolletjes erop en bedek ze met de rest van het mengsel.
Bak het geheel 20 minuten in een voorverwarmde oven op 150 °C.

Garnalensalade

Voorbereidingstijd: 15 minuten – Bereidingstijd: 5 minuten
Voor 2 personen

- 600 g sla
- 4 theelepels paraffineolie
- 4 theelepels azijn
- een paar takjes dragon
- 200 g roze garnalen
- 4 eieren
- zout en peper

Was de sla, dep hem droog.
Maak de vinaigrette in een slakom.
Voeg de sla, de blaadjes dragon en de gepelde garnalen toe en meng alles goed door.
Kook de eieren tegen hard aan: 5-6 minuten in kokend water. Pel ze voorzichtig, omdat het geel nog niet helemaal hard is.
Leg ze nog warm op de salade.

Spinaziesla met gerookte vis

Voorbereidingstijd: 15 minuten – Bereidingstijd: 2 minuten
Voor 4 personen

- 700 g verse bladspinazie
- 300 g gerookte vis (zalm, forel, paling, heilbot…)
- mosterd
- azijn
- paraffineolie met notenaroma
- zout en peper

Was de spinazie en dep hem droog. Verdeel hem over vier borden. Snijd de vis in reepjes en sauteer hem 2 minuten in een koekenpan. Verdeel hem over de spinazie.
Besprenkel de salade met een vinaigrette van mosterd, azijn en paraffineolie.
Breng het geheel op smaak met zout en peper.

Lauwwarme salade van sperziebonen en rogvleugel

Voorbereidingstijd: 25 minuten – Bereidingstijd: 15 minuten
Voor 2 personen

- 1 zakje court-bouillon
- 2 rogvleugels
- 100 g sperziebonen
- paraffineolie met notenaroma en naturel
- 1 eetlepel frambozenazijn
- 1 teen knoflook
- 1 sjalotje
- zout en peper

Maak de court-bouillon, breng hem aan de kook en pocheer de rog er 8 minuten in; laat de bouillon zachtjes koken.
Stoom intussen de sperziebonen gaar.
Maak een vinaigrette van de olie en frambozenazijn.
Hak knoflook en een sjalotje fijn en meng alles door de vinaigrette. Voeg eventueel nog wat zout toe.
Doe de bonen in een slakom met twee derde van de vinaigrette. Meng alles goed door en verdeel dit mengsel over twee borden. Verwijder de huid en het kraakbeen van de rog en leg het vlees op de sla. Besprenkel het geheel met de rest van de vinaigrette en serveer meteen.

Zalm met venkel en prei

Voorbereidingstijd: 15 minuten – Bereidingstijd: 15 minuten
Voor 4 personen

- 4 preien
- 2 venkelknollen
- 4 uien
- 4 kruidnagels
- 1 bouquet garni
- 4 zalmfilets
- 1 ei
- fijn zout

Maak de prei en venkel schoon en was ze. Snijd het witte deel van de prei overlangs in repen en de venkelknollen in vieren.
Prik in elke ui een kruidnagel.

Breng een pan met ruim water met zout aan de kook en voeg de prei, venkel, uien en het bouquet garni toe. Laat het geheel 10 minuten op laag vuur koken. Voeg de zalm toe en laat alles nog 5 minuten koken. Kook intussen het ei hard en prak het fijn met een vork.
Laat de zalm en de groenten uitlekken, leg ze op een schaal en bestrooi ze met eikruim. Serveer meteen.

Smulpotje van zalm

Voorbereidingstijd: 20 minuten – Bereidingstijd: geen
Voor 2 personen

- 1 klein bosje dille, gehakt
- ½ venkelknol
- het sap van een ½ citroen
- 250 g magere yoghurt
- 4 plakken gerookte zalm
- 4 blaadjes sla
- zout en peper

Was de dille en hak hem fijn. Was de venkel en snijd hem in blokjes. Maak in een kommetje de saus van citroensap, zout, peper en yoghurt. Voeg de blokjes venkel en gehakte dille toe.
Snijd vlak voor het opdienen de plakken zalm in reepjes en verdeel ze over de borden. Was de slabladen, leg ze op de borden en vul ze met de saus.

Zalm met salsa verde op een bedje van kerstomaat

Voorbereidingstijd: 15 minuten – Bereidingstijd: 45 minuten
Voor 2 personen

- 2 zalmfilets
- 300 g kerstomaatjes
- 2 snufjes viskruiden
- 1 pot Mexicaanse salsa verde

Leg elke zalmfilet op een bedje van in tweeën gesneden kerstomaatjes

op een stuk bakpapier, Bestrooi het geheel met de kruiden en giet er wat salsa verde over.
Zet de zalm circa 45 minuten in een op 200 °C voorverwarmde oven.
Voeg geen zout toe, omdat de salsa al erg zout is.

Scampi's op z'n Mexicaans

Voorbereidingstijd: 10 minuten – Bereidingstijd: 3 minuten
Voor 3-4 personen

- 4 tomaten
- 1 groene chilipeper, zonder zaadjes
- 2 eetlepels gehakte koriander
- 1 limoen
- 1 teen knoflook
- 32 scampi's
- zout

Ontvel de tomaten en verwijder de zaadjes. Snijd het vruchtvlees samen met de chilipeper in blokjes. Voeg de gehakte koriander, het citroensap, de knoflook en zout toe, en roer alles goed door.
Stoom de scampi's in 2-3 minuten gaar.
Meng ze door de saus.

Rauwe schol op een bedje van tomaat

Voorbereidingstijd: 10 minuten – Bereidingstijd: geen
Voor 2 personen

- 4 rijpe tomaten
- 1 citroen
- 1 takje munt
- 1 snufje kervel
- 1 takje peterselie
- 4 scholfilets, in reepjes
- zout en peper

Ontvel de tomaten, verwijder de zaadjes en prak het vruchtvlees heel fijn. Breng op smaak met citroensap, zout en peper.
Verdeel het tomatenmengsel over de borden.

Hak de kruiden fijn en haal de in dunne reepjes gesneden schol erdoorheen. Leg de vis boven op het tomatenmengsel. Zet het geheel 1 uur in de koelkast.

IJskoude komkommersoep met roze garnalen

Voorbereidingstijd: 30 minuten – Bereidingstijd: geen
Voor 4 personen

- 2 kleine komkommers
- 1 ui
- 1 teen knoflook
- 2 citroenen
- 2 eetlepels anijslikeur
- 4 takjes koriander, gehakt
- 400-500 ml bronwater
- 8 grote roze garnalen, gekookt en gepeld
- een paar druppels tabasco
- ¼ rode paprika
- ½ rode ui
- zout en peper

Schil de komkommers, dep ze droog en snijd ze in stukken. Pureer ze met de ui, knoflook, het sap van 1 citroen, de anijslikeur en zout en peper. Leng deze pasta aan met 400-500 ml bronwater. Doe de helft van de gehakte koriander erbij en zet het geheel 45 minuten in de koelkast.
Snijd 30 minuten voor het opdienen de garnalen overlangs door en schik ze op een bord. Besprenkel ze met citroensap en een paar druppels tabasco, dek het geheel af en zet het 30 minuten in de koelkast.
Snijd de paprika in dunne reepjes. Pel de ui en snijd hem in dunne ringen. Breng de soep op smaak met zout en peper, en schenk hem in grote kommen. Leg er wat paprika en ui op, voeg de garnalen toe en de rest van de koriander. Serveer meteen.

Garnalensoep met komkommer en koriander

Voorbereidingstijd: 15 minuten – Bereidingstijd: 12 minuten
Voor 4 personen

- 12 mooie garnalen
- 1 komkommer
- 2 uien
- 3 takjes peterselie, gehakt
- 2 takjes koriander, gehakt
- 2 kippenbouillonblokjes
- 1 kleine chilipeper

Pel de garnalen, maar laat het staartje zitten.
Schil de komkommer, pel de uien en snijd ze fijn. Hak de blaadjes peterselie en de takjes koriander fijn.
Breng in een pan 1,5 l water aan de kook en los de bouillonblokjes erin op. Voeg de fijngehakte komkommer, uien en de garnalen toe. Reken 2 minuten kooktijd vanaf het moment dat het water weer aan de kook komt.
Bestrooi het geheel met gehakte kruiden en stukjes chilipeper. Serveer heet.

Terrine van komkommer en gerookte zalm

Voorbereidingstijd: 1 uur 15 minuten – Bereidingstijd: geen
Voor 2 personen

- 1 komkommer
- 200 g gerookte zalm
- ½ bosje bieslook
- 200 g magere hangop
- zout en peper

Schil de komkommer en snijd hem overlangs doormidden. Verwijder de zaadjes. Snijd hem dan in blokjes. Bestrooi ze met fijn zout. Dek het geheel af met huishoudfolie en zet het 30 minuten in de koelkast.
Snijd de gerookte zalm fijn. Hak het bieslook fijn en meng het met wat peper door de zalm (gebruik geen zout, omdat gerookte zalm al zout is). Laat de hangop uitlekken in een zeef boven een bord.

Laat de komkommerblokjes uitlekken en spoel ze een paar keer af. Wring ze uit in een doek en schep ze dan door het zalm-bieslookmengsel. Klop de hangop smeuïg en spatel hem door het mengsel. Breng het geheel nogmaals op smaak met wat peper, en zet het voor het serveren minstens 30 minuten in de koelkast.

Visterrine met bieslook

Voorbereidingstijd: 40 minuten – Bereidingstijd: 45 minuten
Voor 3 personen

- 200 g wortels
- 400 g filet van dorade (of wijting)
- 4 eiwitten
- 2 eetlepels magere kwark
- 300 g verse zalm
- 300 g spinazie (gaar en goed uitgelekt)

Voor de saus:

- 500 g magere kwark of yoghurt
- 1 citroen
- een paar takjes bieslook (of dragon)
- zout en peper

Bereid dit recept een dag van tevoren.
Stoom de wortels 10 minuten en pureer ze.
Pureer de dorade en meng hem dan met de eiwitten, kwark en zout en peper.
Verdeel het mengsel in drie porties. Vermeng een portie met de wortelpuree; roer de spinazie(een dag eerder gekookt en gepureerd) door de tweede portie; en laat de laatste portie zoals ze is.
Bekleed een bakvorm met bakpapier. Leg er laagjes van de mengsels in, steeds gescheiden door een laag van zalmplakjes.
Zet het geheel 45 minuten in een op 180 °C voorverwarmde oven.
Voor de saus: meng de kwark, het citroensap en de kruiden.

Koude terrine

Voorbereidingstijd: 40 minuten – Bereidingstijd: 45 minuten
Voor 6 personen

- 600 g venkel
- 450 g zalmfilet zonder huid
- 150 g magere kwark
- 2 eiwitten
- 1 eetlepel gehakte dille
- 1 snufje kerriepoeder
- zout en peper

Maak de venkel schoon en snijd hem in blokjes. Stoom hem 10 minuten. Snijd 300 g zalm in flinke stukken en de rest in reepjes.
Laat de venkel uitlekken en pureer hem (houd 3 eetlepels apart). Meng de venkelpuree, de kwark, het kerriepoeder, 1 eiwit en zout en peper.
Meng de 3 eetlepels venkelpuree door de stukjes zalm. Voeg het resterende eiwit toe en breng het mengsel op smaak met zout en peper.
Verwarm de oven voor op 180 °C.
Bekleed een terrine met een inhoud van 1 liter met bakpapier. Schep de helft van de zalmpuree erin en strooi er wat van de gehakte dille over. Leg er dan een derde van de venkelpuree op en de helft van de reepjes zalm. Begin dan weer met een laag venkelpuree, gevolgd door een laag zalmreepjes en een laag venkelpuree. Strooi de rest van de dille erover en eindig met een laag zalmpuree. Dek het geheel af en laat het 45 minuten au bain-marie in de oven gaar worden.

Terrine à la minute

Voorbereidingstijd: 15 minuten – Bereidingstijd: 40 minuten
Voor 8 personen

- 560 g witvis
- 1 blokje court-bouillon
- 450 g diepvriesspinazie
- 2 eieren
- zout en peper

Doe de vis in een pan met de court-bouillon, leg het deksel op de pan

en kook het geheel 10 minuten op hoog vuur en dan op middelhoog vuur.
Ontdooi de spinazie en meng hem door de uitgelekte vis. Breng het geheel op smaak met zout en peper.
Splits de eieren en klop de eiwitten stijf. Meng de dooiers door het spinaziemengsel. Spatel dan de stijfgeklopte eiwitten er voorzichtig doorheen. Schep het mengsel in een cakevorm en zet het 30 minuten au bain-marie in een op 160 °C voorverwarmde oven.
Serveer koud of warm.

Tonijn met drie soorten paprika

Voorbereidingstijd: 20 minuten – Bereidingstijd: 25 minuten
Voor 2 personen

- 1 rode paprika
- 1 groene paprika
- 1 gele paprika
- 1 tonijnmoot van ca. 700 g
- het sap van 1 of 2 citroenen
- 2 tenen knoflook
- zout en witte peper

Was de paprika's en snijd ze doormidden. Verwijder de zaadjes en zaadlijsten en leg de paprika's 5 minuten onder de grill. Stop ze dan 10 minuten in een plastic zak om ze beter te kunnen ontvellen. Snijd de ontvelde paprika's in reepjes en sauteer ze een paar minuten op middelhoog vuur in een licht ingevette koekenpan met antiaanbaklaag met wat water.
Breng de tonijn op smaak met zout en peper, en stoom hem in 20 minuten gaar. Meng het citroensap, de knoflook en de paprikareepjes.
Laat de gestoomde tonijn afkoelen en leg hem in de marinade met de paprika. Zet geheel 2-3 uur in de koelkast; keer de tonijn regelmatig.

Timbaal met drie soorten zalm

Voorbereidingstijd: 20 minuten – Bereidingstijd: 10 minuten
Voor 2 personen

- 4 kleine zalmmoten
- 2 visbouillonblokjes
- 8 gelatineblaadjes
- 4 takjes dille
- 50 g zalmkuit
- 1 plak gerookte zalm

Zet vier kommen in de vriezer.
Stoom de zalmmoten in 5 minuten gaar.
Breng 250 ml water aan de kook met de visbouillonblokjes en laat de bouillon in 5 minuten op hoog vuur inkoken. Haal de pan van het vuur en los de geweekte en uitgeknepen gelatine erin op.
Doe in elk schaaltje een bodempje afgekoelde gelei, 1 takje dille, wat zalmkuit, een moot zonder graten en wat reepjes gerookte zalm. Giet de rest van de gelei erover en zet het geheel 2 uur in de koelkast.
Haal de timbaaltjes uit de kommen, versier ze met zalmkuit en serveer het geheel met een salade.

Tomaat met tonijn en kappertjes

Voorbereidingstijd: 20 minuten – Bereidingstijd: geen
Voor 3 personen

- 8 tomaten
- 1 blikje tonijn
- 100 g magere kwark
- 2 eetlepels uitgelekte kappertjes
- 2 eetlepels gehakt bieslook
- 1 eetlepel citroensap
- 2 eetlepels forelkuit
- 4 snufjes paprikapoeder
- zout en peper

Leg de tomaten 30 seconden in kokend water en ontvel ze; dit geeft een mooi resultaat.
Snijd de kapjes van de tomaten en houd ze apart. Hol de tomaten uit, strooi er wat zout in en keer ze om op keukenpapier.

Meng de tonijn, kwark, kappertjes, het bieslook en het citroensap. Breng het geheel op smaak met peper en vul de tomaten met het mengsel. Garneer de gevulde tomaten met forelkuit en een snufje paprikapoeder. Zet de hoedjes er weer op.

Groenten als bijgerecht

Asperges met citroensaus

Voorbereidingstijd: 20 minuten – Bereidingstijd: 15 minuten
Voor 2 personen

- 600 g asperges
- 1 groentebouillonblokje
- 20 g maizena
- 300 ml magere melk
- 2 eieren
- 2 citroenen
- zout en peper

Schil de asperges en kook ze 10-15 minuten in kokend water met zout en het bouillonblokje tot ze zacht zijn. Laat ze uitlekken.
Maak de citroensaus op het laatste moment. Los eerst de maizena op in de koude melk. Laat de melk dan al roerend warm worden in een kleine pan op laag vuur tot de saus gaat binden. Voeg de eidooiers toe. Verwarm de saus nog 2 minuten en voeg naar smaak wat zout en peper toe. Pers de citroenen uit. Giet het sap bij de saus. Klop de eiwitten stijf en spatel ze vlak voor het opdienen voorzichtig door de saus.

Aubergines op z'n Indiaas

Voorbereidingstijd: 20 minuten – Bereidingstijd: 10 minuten
Voor 2 personen

- 50 g tomaten
- 1 eetlepel Provençaalse kruiden
- 1 mespuntje kerriepoeder
- 1 mespuntje paprikapoeder
- 1 snufje korianderpoeder
- 200 g aubergine
- 50 g rode paprika
- zout en peper

Snijd de tomaten in blokjes. Laat ze op laag vuur zacht worden in een koekenpan met antiaanbaklaag. Breng ze op smaak met zout en peper. Voeg de kruiden en specerijen toe.
Snijd de aubergine in dunne plakken en de paprika in kleine blokjes. Blancheer de aubergine en paprika een paar minuten en laat ze afkoelen.

Leg een laagje aubergine in een ovenschaal met daarop een laagje paprika. Schenk de tomatensaus erover en zet het geheel 10 minuten in een op 210 °C voorverwarmde oven.

Aubergines met knoflook en peterselie

Voorbereidingstijd: 15 minuten – Bereidingstijd: 35 minuten
Voor 2 personen

- 200-250 g aubergine
- 1 teen knoflook
- 2 mooie takjes peterselie
- zout en peper

Verwijder de steeltjes van de aubergines. Was ze en dep ze droog. Snijd ze overlangs doormidden en hol ze uit.
Hak de knoflook, peterselie en auberginepulp fijn en breng het geheel op smaak met peper. Vul de aubergines met dit mengsel. Wikkel beide helften in aluminiumfolie en zet ze 30-35 minuten in een op 170 °C voorverwarmde oven.

Aubergines met koriander

Voorbereidingstijd: 30 minuten – Bereidingstijd: 45 minuten
Voor 6 personen

- 5 grote aubergines
- 5 tomaten
- 4 eetlepels gesnipperde ui
- 1 theelepel chilipoeder
- 2,5 theelepel gehakte koriander
- zout en peper

Wikkel drie aubergines in aluminiumfolie en zet ze 30 minuten in een op 200 °C voorverwarmde oven.
Snijd de andere twee aubergines overlangs doormidden en kook ze dan 10 minuten in een pan met water met zout.
Schil de drie eerste aubergines en pureer ze.
Snijd de tomaten in plakjes. Doe de auberginepuree, tomaten, gesnip-

perde ui en chilipeper in een koekenpan en meng alles goed. Breng het geheel op smaak met zout en peper. Zet het vuur hoog en roer het mengsel af en toe goed door. Hol de vier auberginehelften uit; laat een rand van 1 cm dik over. Vul de aubergines met het tomatenmengsel. Bestrooi het geheel met gesnipperde koriander.
Serveer koud of warm.

Provençaalse aubergine

Voorbereidingstijd: 15 minuten – Bereidingstijd: 30 minuten
Voor 1 persoon

- 1 aubergine
- 1 tomaat
- 1 middelgrote ui
- 1 teen knoflook
- 2 takjes tijm
- 1 eetlepel gehakt basilicum
- zout en peper

Was de aubergine en snijd hem in blokjes.
Was en prak de tomaat. Snipper de ui en hak de knoflook. Bak de ui in wat water glazig. Voeg de aubergine toe en laat hem eerst op hoog, dan op middelhoog vuur goudbruin worden. Voeg de tomaat, knoflook, tijm en het basilicum toe, en roer alles goed door. Breng het geheel op smaak met zout en peper.
Leg het deksel op de pan en laat het geheel 30 minuten sudderen op laag vuur.

Champignonpakketjes

Voorbereidingstijd: 20 minuten – Bereidingstijd: 15 minuten
Voor 6 personen

- 24 champignons
- 100 g courgette
- 2 sjalotjes
- 1 teen knoflook
- 150 g magere gekookte ham
- 1 chilipeper, fijngehakt
- 1 snufje paneermeel
- 2 eidooiers
- 2 eetlepels gehakte kruiden (peterselie, basilicum, kervel, bieslook)
- 6 blaadjes munt
- 12 sprietjes bieslook
- zout en peper

Verwarm de oven voor op 210 °C.
Maak de champignons schoon. Haal de hoedjes van de steeltjes en leg ze op de holle kant op een schaal. Zet het geheel 5 minuten in de oven. Hak de steeltjes van de champignons fijn.
Was de courgettes en snijd ze in blokjes. Kook ze 2 minuten in water met zout.
Pel de sjalotjes en knoflook en snijd ze fijn. Fruit ze met 1 eetlepel water in een licht ingevette koekenpan met antiaanbaklaag. Voeg de blokjes courgette, in reepjes gesneden ham, chilipeper en gehakte champignonsteeltjes toe. Bak alle groenten tot het vocht eruit is.
Haal de pan van het vuur. Voeg een snufje paneermeel, de eidooiers, kruiden en gehakte munt toe. Breng het geheel op smaak met zout en peper. Vul twaalf champignonhoedjes met het mengsel. Leg de andere hoedjes erbovenop. Bind ze vast met een sprietje bieslook en zet ze 10 minuten in de oven.

Snijbiet met tofoe

Voorbereidingstijd: 20 minuten – Bereidingstijd: 20 minuten
Voor 4 personen

- 500 g blad van snijbiet
- 400 g spinazie
- ½ ui
- 240 g tofoe
- 1 theelepel sojasaus
- 1 theelepel munt, gehakt
- zout en peper

Was de snijbiet en de spinazie. Laat ze uitlekken en snijd ze fijn. Fruit de halve gesnipperde ui in een pan met antiaanbaklaag goudbruin. Voeg de groenten toe, leg het deksel op de pan en laat ze in 10 minuten slinken. Snijd intussen de tofoe in blokjes. Bak ze 5 minuten samen met de sojasaus in de koekenpan op heel laag vuur. Breng het mengel op smaak met zout en peper, en bak het nog eens 5 minuten.
Serveer de groenten en de tofoe warm en bestrooi het geheel met gehakte munt.

Groentebouillon van Eugénie

Voorbereidingstijd: 15 minuten – Bereidingstijd: 6 minuten
Voor 1 persoon

- 50 g wortels
- 50 g champignons
- 25 g bleekselderij
- 25 g prei (het wit)
- 2 middelgrote tomaten
- 1,25 l krachtige kippenbouillon
- 1 bosje peterselie, gehakt
- zout en peper

Maak de groenten schoon en snijd ze julienne. Snijd de tomaten in vieren. Verwijder de zaadjes en hak ze in grove stukken.
Breng de bouillon aan de kook. Voeg zout en peper en de groenten toe (behalve de tomaten). Laat het geheel 5-6 minuten zonder deksel koken (de groente moet nog beetgaar zijn). Haal de pan van het vuur. Voeg de tomaatblokjes en de gehakte peterselie toe en serveer de soep heet.

Auberginekaviaar

Voorbereidingstijd: 30 minuten – Bereidingstijd: 15 minuten
Voor 4 personen

- 6 stevige aubergines
- 2 tenen knoflook
- 1 citroen
- 1 eetlepel azijn
- paraffineolie
- zout en peper

Was de aubergines en dep ze droog. Leg ze circa 15 minuten – keer ze af en toe om – onder de op 220 °C voorverwarmde grill, tot ze beginnen te barsten.
Pel intussen de knoflook, snijd de tenen in tweeën, haal de kiem eruit en maal ze fijn in een vijzel.
Pers de citroen uit.
Haal de aubergines voorzichtig uit de oven. Laat ze 5 minuten afkoelen, pak ze bij de steel en trek de schil eraf. Prak de aubergines met een vork fijn of pureer ze. Voeg de knoflookpuree, het citroensap, de azijn en ruim zout en peper toe; roer alles goed door. Doe er indien nodig nog wat paraffineolie bij, lepel voor lepel en al kloppend net als bij mayonaise. Serveer de kaviaar lekker koud.

Champignons op z'n Grieks

Voorbereidingstijd: 20 minuten – Bereidingstijd: 12 minuten
Voor 2 personen

- 5 theelepels citroensap
- 2 laurierblaadjes
- 1 theelepel korianderzaad
- 1 theelepel peper
- 700 g champignons
- 4 theelepels gehakte bladpeterselie
- zout

Giet 500 ml water in een pannetje, samen met het citroensap, de laurier, koriander en zout en peper. Breng het geheel aan de kook, leg het deksel op de pan en laat het geheel 10 minuten sudderen.

Maak de champignons schoon, was ze kort en laat ze uitlekken. Snijd ze in stukjes.
Doe de champignons in de pan, laat ze 2 minuten meekoken en draai het vuur uit. Voeg de peterselie toe. Meng het geheel voorzichtig. Laat de champignons afkoelen in het kookvocht. Laat ze uitlekken en doe ze in een schaal. Schenk het kookvocht erover en bestrooi ze met wat korianderzaad.

Tomatenchips met paprika

Voorbereidingstijd: 10 minuten – Bereidingstijd: 2 uur
Voor 4 personen

- 10 tomaten
- 1 flinke snuf paprikapoeder

Kies mooie ronde, stevige tomaten. Snijd ze in plakjes van 2 mm dik. Leg ze op bakpapier en bestrooi ze met paprikapoeder. Zet ze 2 uur in een op 100 °C voorverwarmde oven.
Bewaar ze droog in een luchtdicht afgesloten doos.

Witte kool uit het Noorden

Voorbereidingstijd: 25 minuten – Bereidingstijd: 4 minuten
Voor 2 personen

- 450 g witte kool, in reepjes
- 2 eetlepels sojasaus
- 1 eetlepel teriyakisaus
- 1 teen knoflook
- 1 theelepel gember
- 1 ui, in ringen
- een paar takjes tijm
- zout en peper

Meng de sojasaus en de teriyakisaus, knoflook, geraspte gember en peper. Laat het mengsel minstens 5 minuten rusten. Doe de kool, ringen ui, wat zout (weinig) en tijm in een heel hete koekenpan met antiaanbaklaag.

Sauteer alles 3-4 minuten (de kool moet knapperig blijven) op hoog vuur en roer dan de saus erdoor.
Blijf bakken tot alle saus is verdampt. Stem de hoeveelheid saus af op de hoeveelheid groenten, omdat de groenten knapperig moeten blijven.

Gestoomde bloemkool

Voorbereidingstijd: 10 minuten – Bereidingstijd: 15 minuten
Voor 2 personen

- 400 g bloemkool
- 2 hardgekookte eieren
- het sap van 1 citroen
- 2 theelepels gehakte peterselie
- 1 snufje komijn
- zout en peper

Stoom de bloemkool 15 minuten. Haal de dooiers uit de hardgekookte eieren en prak ze. Leg de bloemkool op een schaal en bestrooi hem met eierkruim.
Breng het geheel op smaak met citroensap, peterselie, komijn, zout en peper.

Tuincocktail

Voorbereidingstijd: 10 minuten – Bereidingstijd: geen
Voor 1 persoon

- 50 g wortels
- 30 g bleekselderij
- 150 g tomaten
- het sap van 1 citroen
- 50 ml water

Maak alle groenten schoon en doe ze in de sapcentrifuge.
Serveer de cocktail ijskoud.

Vitaminecocktail

Voorbereidingstijd: 15 minuten – Bereidingstijd: geen
Voor 2 personen

- 300 g wortels
- 100 g knolselderij
- 400 ml water
- 25 g dille
- 5 g zout

Maak de wortels en selderij schoon. Snijd ze in stukjes.
Pers de groenten in een sapcentrifuge met water, anijs en zout tot een glad mengsel (circa 45 seconden).
Serveer de cocktail ijskoud.

Courgette van het boerenland

Voorbereidingstijd: 10 minuten – Bereidingstijd: 20 minuten
Voor 2 personen

- 250 g courgette
- 100 g magere kwark
- 1 theelepel Provençaalse kruiden
- een paar takjes peterselie, gehakt
- zout en peper

Schil de courgettes, verwijder de zaadjes, snijd het vruchtvlees fijn en stoom het gaar.
Schep de courgette in een ovenschaal en giet er een saus over, gemaakt van de kwark en de Provençaalse kruiden. Breng het geheel op smaak met zout en peper.
Zet de courgetteschotel een paar minuten in een op 210 °C voorverwarmde oven en bestrooi hem vlak voor het opdienen met peterselie.

Courgette met tomatensaus

Voorbereidingstijd: 10 minuten – Bereidingstijd: 40 minuten
Voor 2 personen

- 2 courgettes
- 4 tomaten
- 1 theelepel Provençaalse kruiden
- 1 teen knoflook, geperst
- zout en peper

Snijd de courgettes in blokjes en doe ze in een pan. Ontvel de tomaten, verwijder de zaadjes en snijd het vruchtvlees in stukjes. Doe ze in de pan en voeg de kruiden toe. Leg het deksel op de pan en laat het geheel op laag vuur 35-40 minuten sudderen.
Voeg aan het eind van de bereidingstijd de geperste knoflook toe. Breng het geheel op smaak met zout en peper.

Mousse van bloemkool met saffraan

Voorbereidingstijd: 20 minuten – Bereidingstijd: 55 minuten
Voor 4 personen

- 500 g bloemkool
- 750 ml magere melk
- 2 tenen knoflook, geperst
- 1 snufje nootmuskaat
- 1 snufje saffraan
- 1 bosje kervel
- zout en peper

Blancheer de bloemkoolroosjes 5 minuten in een pan met kokend water met zout. Spoel ze af met koud water en laat ze uitlekken.
Breng de melk aan de kook en doe er de bloemkoolroosjes en de knoflook bij. Leg het deksel op de pan en laat alles 45 minuten sudderen.
Pureer alles tot een smeuïge mousse. Schep de mousse weer in de pan en voeg nootmuskaat en saffraan toe.
Laat het mengsel nog 5 minuten op heel laag vuur sudderen. Schep de mousse in een voorverwarmde schaal, breng hem op smaak met zout en peper, en garneer hem met takjes kervel. Serveer meteen.

Komkommercurry

Voorbereidingstijd: 20 minuten – Bereidingstijd: 22 minuten
Voor 4 personen

- 2 middelgrote komkommers
- 1 kleine chilipeper
- 1 eetlepel kerriepoeder
- 4 kleine tomaten, in partjes
- 100 ml magere melk
- 1 theelepel maizena
- zout

Snijd de komkommer overlangs doormidden en snijd de twee helften in stukjes van 1 cm.
Bak in een pan met antiaanbaklaag de gehakte chilipeper met het kerriepoeder. Voeg de komkommer toe en laat alles 10 minuten op laag vuur sudderen. Voeg de in partjes gesneden tomaten toe en laat het mengsel nog 10 minuten zachtjes koken.
Meng in een kom de melk en maizena, giet het mengsel over de groenten en laat het geheel nog 1-2 minuten koken, zodat de saus goed indikt. Serveer de curry warm.

Driekleurenspinazie

Voorbereidingstijd: 10 minuten – Bereidingstijd: 10 minuten
Voor 2 personen

- 400 g diepvriesspinazie
- 3 tomaten, in blokjes
- 1 prei, in ringen
- een paar takjes tijm
- 1 laurierblad
- zout en peper

Bereid de spinazie volgens de aanwijzingen op de verpakking.
Doe de in blokjes gesneden tomaat, in ringen gesneden prei, tijm, laurier en een glas water in een pan.
Breng het geheel op smaak met zout en peper. Leg het deksel op de pan en laat het geheel 10 minuten op laag vuur sudderen. Voeg de spinazie toe en warm alles goed door. Serveer meteen.

Auberginepotje

Voorbereidingstijd: 20 minuten – Bereidingstijd: 1 uur
Voor 4 personen

- 600 g aubergine
- 2 uien, gesnipperd
- 1 kg tomaten
- 2 tenen knoflook, geperst
- zout en peper

Schil de aubergines en snijd ze overlangs in plakken van 1 cm dik. Fruit de gesnipperde uien op middelhoog vuur in een licht ingevette pan goudbruin.
Ontvel de tomaten, verwijder de zaadjes en snijd het vruchtvlees in stukken. Doe ze bij de uien, samen met de geperste knoflook. Breng het geheel op smaak met zout en peper. Leg het deksel op de pan en laat het geheel 30 minuten op middelhoog vuur sudderen. Pureer het mengsel en doe het weer in de pan. Voeg de aubergine toe en roer alles goed door. Doe het deksel weer op de pan en laat alles nog 30 minuten zachtjes koken. Voeg eventueel nog wat zout en peper toe.

Auberginemousse

Voorbereidingstijd: 40 minuten – Bereidingstijd: 30 minuten
Voor 2 personen

- 500 g aubergine
- 2 rode paprika's
- 2 tenen knoflook
- 2,5 eetlepel gelatinepoeder
- 2 eetlepels sherryazijn
- 250 g magere yoghurt
- zout en peper

Rooster de aubergines en paprika 30 minuten – afhankelijk van de grootte – in een voorverwarmde oven op 200 °C. Pel de knoflook, verwijder de kiem en pers hem uit.
Los de gelatine in 5 minuten op in een pannetje met de azijn. Zet het mengsel dan op laag vuur en verhit het al roerend.

Houd de paprika in een gasvlam, ontvel hem en verwijder de zaadjes en zaadlijsten. Snijd de aubergine doormidden en schraap de pulp er met een lepel uit.
Pureer de knoflook, aubergine en paprika in een keukenmachine. Meng de opgeloste gelatine en de yoghurt erdoor. Breng het geheel op smaak met zout en peper. Schep het mengsel in een kleine terrine en laat het 6 uur in de koelkast opstijven.

Komkommermousse

Voorbereidingstijd: 25 minuten – Bereidingstijd: geen
Voor 2 personen

- 4 gelatineblaadjes
- 2 komkommers
- de rasp en het sap van 1 onbespoten citroen
- 1 ui, gesnipperd
- 400 g magere kwark
- 100 ml magere melk
- een paar takjes peterselie en dragon
- zout en peper

Week de gelatine in een bakje koud water.
Schil de komkommers, snijd ze in plakjes en bestrooi ze met zout. Laat ze 1 uur uitlekken en spoel ze dan af. Dep ze droog.
Verwarm de melk op laag vuur en voeg de uitgeknepen gelatine toe.
Pureer de komkommer en meng de puree met de kwark, gelatinemelk, citroenrasp, het citroensap, de gesnipperde ui en gehakte peterselie en bieslook. Breng het geheel op smaak met zout en peper.
Vul een cakevorm met antiaanbaklaag (of een met huishoudfolie beklede vorm) met het mengsel en laat het circa 12 uur in de koelkast opstijven.

Paprikamousse

Voorbereidingstijd: 10 minuten – Bereidingstijd: 15 minuten
Voor 4 personen

- 1 gele paprika
- 1 rode paprika
- 2 eetlepels zoetstof om mee te bakken
- 120 g magere gekookte ham
- 200 g magere kwark
- een paar takje peterselie
- zout en peper

Ontvel de paprika's. Snijd ze in de lengte in stukken en verwijder de zaadjes en zaadlijsten. Doe ze in een pan met koud water met de zoetstof. Voeg wat zout en peper toe. Breng het geheel aan de kook en laat het 10 minuten zachtjes koken. Laat de paprika uitlekken – houd vier stukken achter en snijd ze in dunne reepjes voor de garnering.
Pureer de rest van de paprika en de ham. Laat deze puree op laag vuur in 5 minuten wat indrogen. Schep hem in een kom en laat hem afkoelen.
Roer vlak voor het opdienen de kwark door de paprikapuree. Garneer het geheel met de reepjes paprika en bestrooi het met peterselie.

Zure soep

Voorbereidingstijd: 15 minuten – Bereidingstijd: geen
Voor 2 personen

- 600 g tomaten
- 200 g wortels
- 1 stengel bleekselderij met blad
- 1 onbespoten citroen
- een paar druppels tabasco
- zout en peper

Snijd de tomaten, wortels en selderij in stukjes van 2 cm.
Was de citroen, haal de schil er voor de helft af en snijd hem in kleine blokjes.
Pureer alle ingrediënten in een keukenmachine. Breng het geheel op smaak met zout en peper en de tabasco.
Laat de soep 1 uur in de koelkast staan.

Venkelpotage

Voorbereidingstijd: 20 minuten – Bereidingstijd: 40 minuten
Voor 1 persoon

- 3 venkelknollen
- 1 l kippenbouillon
- 500 ml water
- 4 rijpe tomaten
- 3 sjalotjes
- 2 tenen knoflook
- een paar takjes tijm
- 1 takje laurier
- 50 g magere kwark
- een paar takjes peterselie, gehakt
- zout en peper

Maak de venkelknollen schoon en snijd ze in dunne plakjes. Doe ze in een pan met de bouillon en het water en kook ze 20 minuten op middelhoog vuur.
Ontvel de tomaten, verwijder de zaadjes en pel de sjalotjes en knoflook. Pureer deze ingrediënten rauw in een keukenmachine.
Doe de fijngemalen groenten in de soep samen met de tijm, laurier en zout en peper.
Laat het geheel 30 minuten koken. Voeg vlak voor het opdienen de kwark en gehakte peterselie toe.

Witlofsoep

Voorbereidingstijd: 15 minuten – Bereidingstijd: 15 minuten
Voor 4 personen

- 800 g witlof
- 1 l runderbouillon
- 1 ui, gehakt
- 100 g gerookte kipfilet, in blokjes

Snijd het witlof in stukken en kook ze 10 minuten op middelhoog vuur in de bouillon.
Fruit intussen de gepelde en gehakte ui en de in blokjes gesneden kip.
Voeg als het witlof gaar is de ui en kip toe.
Laat het geheel nog een paar minuten op middelhoog vuur doorwarmen.

Rode kerrie-auberginesoep

Voorbereidingstijd: 20 minuten – Bereidingstijd: 45 minuten
Voor 1 persoon

- 1 aubergine
- 1 rode ui, gehakt
- 1 chilipeper, klein gesneden
- 1 eetlepel kerriepoeder
- ½ theelepel kaneelpoeder
- ¼ kruidnagel, gemalen
- 250 g geprakte tomaten
- 750 ml groentebouillon
- zout en peper

Verwijder de top en steel van de aubergine en snijd hem in plakken van 2,5 cm dik.
Fruit in een grote, licht ingevette braadpan de ui 3 minuten op middelhoog vuur. Voeg de chilipeper, het kerriepoeder, de kaneel en kruidnagel toe. Fruit alles nog eens 2 minuten. Doe dan de aubergine, tomaten en bouillon erbij. Leg het deksel half op de pan en laat het geheel 40 minuten zachtjes koken.
Pureer de soep en warm hem weer zachtjes op. Voeg eventueel nog wat zout en peper toe.

Kerriesoep met meiraapjes

Voorbereidingstijd: 20 minuten – Bereidingstijd: 45 minuten
Voor 2 personen

- 1 kg meiraapjes
- 1 Spaanse ui
- 4 tenen knoflook
- 1 snufje kerriepoeder
- 900 ml kippenbouillon
- een paar druppels tabasco
- het sap van een ½ citroen
- 200 g magere yoghurt
- 70 g magere gekookte ham, in plakjes
- 2 takjes peterselie (of bieslook), fijngehakt
- 1 snufje nootmuskaat
- zout en peper

Schil de raapjes en verwijder de harde kern. Pel de ui en hak hem grof.

Pel de tenen knoflook en snipper ze.
Fruit de ui en knoflook in een braadpan met dikke bodem op middelhoog vuur. Leg het deksel op de pan, laat het mengsel 5 minuten smoren en voeg dan de raapjes toe.
Roer alles goed door en laat het geheel afgedekt 10 minuten zachtjes koken. Voeg dan het kerriepoeder toe en giet de bouillon erbij. Laat het geheel circa 30 minuten zachtjes koken.
Pureer de soep heel fijn. Breng hem op smaak met zout en peper, een paar druppels tabasco en het citroensap.
Laat hem doorwarmen en voeg 150 g yoghurt toe.
Bak intussen de ham in een koekenpan, laat hem uitlekken op keukenpapier en verkruimel hem tussen je vingers.
Serveer de soep met een lepel yoghurt. Bestrooi het geheel met ham, peterselie en nootmuskaat.

Puree van aubergine of courgette

Voorbereidingstijd: 10 minuten – Bereidingstijd: 20 minuten
Voor 1 persoon

- 1 tomaat
- 1 courgette (of aubergine)
- 1 theelepel Provençaalse kruiden
- 1 teen knoflook, gehakt

Ontvel de tomaat en snijd hem in stukken. Schil de courgette (of aubergine) en snijd hem in blokjes. Stoom de groenten in 20 minuten gaar en pureer ze.
Voeg de Provençaalse kruiden en de knoflook toe.
Zet het geheel voor het serveren 1 uur in de koelkast.

Auberginesalade

Voorbereidingstijd: 15 minuten – Bereidingstijd: 20 minuten
Voor 2 personen

- 2 mooie aubergines
- 1 theelepel azijn
- 3 eetlepels paraffineolie
- 1 teen knoflook, geperst
- 4 sprietjes bieslook, gehakt
- 1 sjalotje, fijngehakt
- 2 takjes peterselie, gehakt
- zout en peper

Schil de aubergines en snijd ze in grote stukken. Kook ze op hoog vuur 20 minuten in water met zout. Zet het vuur laag en laat ze nog 20 minuten koken. Laat ze afkoelen en prak ze fijn met een vork.
Maak een vinaigrette met de geperste knoflook, het gehakte bieslook en het fijngehakte sjalotje. Laat de auberginepuree in de vinaigrette trekken. Bestrooi alles met de gehakte peterselie en serveer gekoeld.

Peterseliesalade

Voorbereidingstijd: 10 minuten – Bereidingstijd: geen
Voor 2 personen

- 1 grote bos bladpeterselie
- 1 middelgrote ui
- 1,5 citroen
- zout

Was de peterselie. Dep hem droog met keukenpapier.
Snijd de steeltjes eraf en gooi ze weg. Pel de ui en hak hem fijn.
Doe de peterselie en de gehakte ui in een kom.
Voeg het vruchtvlees van een citroen en het sap van een ½ citroen toe.
Breng het geheel op smaak met zout en peper, en serveer gekoeld. Past uitstekend bij gegrild vlees.

Herderssalade

Voorbereidingstijd: 15 minuten – Bereidingstijd: geen
Voor 2 personen

- 4 tomaten
- 2 kleine komkommers
- 2 uien
- 2 milde chilipepers
- een paar blaadjes munt
- 3 takjes bladpeterselie
- het sap van een ½ citroen
- 4 eetlepels paraffineolie
- zout en peper

Snijd de tomaten en komkommers in kleine dobbelsteentjes en doe ze in een slakom. Snijd de uien in dunne ringen, hak de pepers fijn (verwijder de zaadjes), hak de munt en peterselie en doe ze ook in de slakom.
Breng het geheel op smaak met citroen, olie, zout en peper.
U kunt ook mager vleesbeleg of vis naar keuze door de salade mengen.

Wortelsoep met venkel en tijm

Voorbereidingstijd: 20 minuten – Bereidingstijd: 25 minuten
Voor 3 personen

- 350 g ui, gehakt
- 350 g prei, gehakt
- 2 tenen knoflook, gesnipperd
- ¼ theelepel venkelzaad
- ½ theelepel tijm
- 4 middelgrote wortels, in blokjes
- 1 venkelknol, in blokjes
- 1 l kippenbouillon
- zout en peper

Bak de ui, prei, knoflook, het venkelzaad en de tijm in een licht ingevette koekenpan op middelhoog vuur tot de aroma's vrijkomen. Doe de wortel en venkel erbij en laat alles nog een paar minuten koken.
Voeg de bouillon toe en breng het geheel op smaak met zout en peper.
Laat het koken tot de wortel en venkel gaar zijn. Voeg water toe als de bouillon te sterk inkookt. Leg voor het opdienen wat gehakt venkelgroen in elke soepkom.

Griekse citroensoep

Voorbereidingstijd: 10 minuten – Bereidingstijd: 10 minuten
Voor 2 personen

- 1 l water
- 2 kippenbouillonblokjes
- 1 snufje saffraan
- 2 wortels
- 2 courgettes
- 2 eidooiers
- de rasp en het sap van 1 onbespoten citroen

Breng het water met de blokjes kippenbouillon en de saffraan aan de kook.
Rasp intussen eerst de wortels en dan de courgettes. Doe de wortels in de bouillon en laat ze 5 minuten koken. Voeg dan de courgette toe en laat alles nog 3 minuten koken. Voeg 1-2 eidooiers toe, het citroensap en de citroenrasp, en roer alles goed door. Draai het vuur lager, zodat de soep niet meer kookt.

Komkommersoep 1

Voorbereidingstijd: 15 minuten – Bereidingstijd: geen
Voor 1 persoon

- 1 rode paprika
- 1 groene paprika
- 4 tomaten
- 2 komkommers
- 1 takje verse munt
- zout en peper

Was de paprika en tomaten, ontvel ze en verwijder de zaadjes. Schil de komkommers en verwijder het zaad.
Pureer alles fijn met de munt.
Breng het geheel op smaak met zout en peper, en serveer de soep gekoeld.

Venkelsoep

Voorbereidingstijd: 15 minuten – Bereidingstijd: 30 minuten
Voor 1 persoon

- 1 kleine venkelknol
- 2 tomaten
- 1 courgette
- 1 snufje tijm
- 1 takje laurier
- zout en peper
- 2 eetlepels magere kwark

Snijd de venkel in vieren en blancheer hem in een halve liter kokend water met zout. Snijd de tomaten en courgette in grove stukken en doe ze in de bouillon samen met de venkel en de kruiden.
Leg het deksel op de pan en laat alles 15 minuten op middelhoog vuur koken tot de groenten gaar zijn.
Haal de laurier uit de pan en pureer de soep. Breng hem op smaak met zout en peper. Voeg nog wat kwark toe om de soep te binden.

Komkommersoep 2

Voorbereidingstijd: 10 minuten – Bereidingstijd: geen
Voor 1 persoon

- ½ komkommer
- 1 teen knoflook
- 1 eetlepel tomatenpuree
- een paar druppels tabasco
- 1 eetlepel magere kwark
- ijsklontjes
- zout en peper

Schil de komkommer en pureer hem samen met zout, peper en knoflook.
Voeg de tomatenpuree, tabasco naar smaak, kwark en ijsklontjes toe.
Serveer de soep ijskoud.

Koude tomatensoep

Voorbereidingstijd: 20 minuten – Bereidingstijd: geen
Voor 4 personen

- 1 kg tomaten
- 1 ui
- 1 teen knoflook
- 3 takjes peterselie
- 1 takje basilicum
- 1 takje bonenkruid
- 1 takje tijm
- zout en peper

Was de tomaten, verwijder de zaadjes en snijd het vruchtvlees in vieren. Pel en snijd de ui in vieren. Pel de knoflook.
Pureer de tomaten samen met de peterselie, het basilicum, de ui en de teen knoflook. Hak de tijm en het bonenkruid fijn. Roer ze door het tomatenmengsel en breng het geheel op smaak met zout en peper.
Doe de soep in een terrine en zet hem in de koelkast.
Serveer gekoeld.

Tajine van courgette

Voorbereidingstijd: 10 minuten – Bereidingstijd: 40 minuten
Voor 2 personen

- 2 tenen knoflook, geperst
- 1 theelepel komijnpoeder
- 1 theelepel korianderpoeder
- 1 theelepel raz-el-hanoutpoeder (of garam masala)
- 500 ml water
- 1 kippenbouillonblokje
- 2 eetlepels tomatenpuree
- 4 courgettes, in blokjes

VOOR ERBIJ:

- 1 citroen
- takjes koriander

Fruit de geperste knoflook en de specerijen in een licht ingevette koekenpan.
Voeg het water, bouillonblokje, de tomatenpuree en in blokjes gesneden courgette toe, en meng alles goed.

Leg het deksel op de pan en laat het geheel 35 minuten op middelhoog vuur sudderen. Sprenkel er tot slot wat citroensap over en garneer het geheel met takjes koriander. Serveer dit gerecht liefst in een tajine.

Tzatziki

Voorbereidingstijd: 10 minuten – Bereidingstijd: geen
Voor 1 persoon

- ½ komkommer
- 1 teen knoflook, fijngesnipperd
- 250 g magere yoghurt
- zeezout

Schil de komkommer, verwijder de zaadjes en rasp de komkommer fijn. Bestrooi hem rijkelijk met zeezout en laat hem een paar minuten uitlekken.
Meng dan alle ingrediënten en zet het geheel een paar uur in de koelkast.
Serveer heel koud.

Ovenschotel van aubergine

Voorbereidingstijd: 25 minuten – Bereidingstijd: 1 uur
Voor 4 personen

- 2 aubergines
- 100 g gerookte kipfilet
- 3 stengels bleekselderij
- 1 teen knoflook, gehakt
- 3 takjes peterselie, gehakt
- 3 tomaten, in plakjes

Snijd de aubergines in plakken en bestrooi ze met zout. Laat uitlekken.
Snijd de gerookte kipfilet in stukjes en sauteer ze in een koekenpan. Houd ze apart. Bewaar de jus voor de groenten.
Snijd de bleekselderij in stukjes en bak ze in een koekenpan op laag vuur.
Meng de kip door de selderij.
Leg in een ovenschaal een laag aubergineplakken, gevolgd door het sel-

derijmengsel, gehakte peterselie en knoflook, en plakjes tomaat. Eindig met de resterende plakken aubergine. Zet het geheel 1 uur in een op 180 °C voorverwarmde oven.

Terrine van prei

Voorbereidingstijd: 30 minuten – Bereidingstijd: 30 minuten
Voor 6 personen

- 2 kg jonge prei
- 4 tomaten
- 1 eetlepel wijnazijn
- 2 eetlepels gehakte fijne kruiden
- zout en peper

Maak de preien schoon. Snijd het groen eraf, zodat ze in de lengte in de terrine passen. Bind ze op in bosjes en kook ze 20-30 minuten in water met zout. Druk ze aan om er zoveel mogelijk kookvocht uit te persen. Bekleed een terrine met huishoudfolie. Prik er wat gaatjes in, zodat het vocht weg kan. Stapel de prei op in de terrine. Zet het geheel een paar uur in de koelkast en giet het vocht er regelmatig uit.
Kook en ontvel de tomaten. Pureer het vruchtvlees met de azijn en fijne kruiden tot een gladde saus. Breng hem op smaak met zout en peper. Haal de preiterrine uit de vorm en serveer hem met de saus.

Terrine met soepgroenten

Voorbereidingstijd: 15 minuten – Bereidingstijd: 15 minuten
Voor 4 personen

- 900 g wortels
- 500 g prei, gehakt
- 5 eieren, los geklopt
- 125 g magere kwark
- 100 g magere gekookte ham, gehakt
- zout en peper

Stoom de groenten. Rasp de wortels en pureer de prei.

Meng de geklutste eieren met de kwark en zout en peper.
Voeg de groenten toe, meng alles goed en schep het mengsel in een cakevorm.
Dek het geheel af en zet het in een op 190 °C voorverwarmde oven.
Houd in de gaten wanneer het gaar is.

Provençaalse tian

Voorbereidingstijd: 10 minuten – Bereidingstijd: 55 minuten
Voor 6 personen

- 5 tomaten
- 1 courgette
- 2 aubergines
- 500 g rode paprika
- 2 groene paprika's
- 8 tenen knoflook
- 1 snufje tijm
- 1 snufje bonenkruid
- 5 blaadjes basilicum
- zout en peper

Verwarm de oven voor op 220 °C.
Was de tomaten, courgette en aubergines, dep ze droog en snijd ze in plakjes. Was de paprika's, dep ze droog, snijd ze doormidden en verwijder de zaadjes en zaadlijsten.
Maak een rand van afwisselend plakjes tomaat, aubergine en courgette in een ovenschaal. Leg de paprika en de ongepelde tenen knoflook in het midden.
Bestrooi het geheel met tijm, bonenkruid en gescheurd basilicum en breng het op smaak met zout en peper.
Zet het geheel 55 minuten in de oven en giet er halverwege een glas water bij om te voorkomen dat de groenten uitdrogen.

Tomatensalsa

Voorbereidingstijd: 20 minuten – Bereidingstijd: 8 minuten
Voor 2 personen

- 4 rijpe tomaten
- 1 rode (of witte) ui, in 8 partjes
- 2 tenen knoflook, geperst
- 5 jalapeñopepers
- 150 ml citroensap
- een paar takjes koriander
- 1 snufje zout

Blancheer de tomaten 30 seconden in kokend water. Ontvel ze boven een kom en verwijder de zaadjes. Hak het vruchtvlees grof en doe het in een keukenmachine. Voeg de stukken ui, de knoflook en het zout toe. Haal het steeltje van de pepers en snijd ze doormidden. Maak ze schoon en laat afhankelijk van de gewenste pittigheid van de saus meer of minder zaadjes zitten. Hak de pepers grof en doe ze in de keukenmachine met de gewenste hoeveelheid zaadjes. Pureer alle ingrediënten tot de saus de juiste consistentie heeft.
Giet de saus in een pan en verwarm hem op middelhoog vuur tot er een roze schuim op komt, na 6-8 minuten.
Haal de pan van het vuur en laat de saus minstens 10 minuten afkoelen. Roer dan het citroensap en de koriander erdoor.

Courgettecrèmesoep

Voorbereidingstijd: 10 minuten – Bereidingstijd: 30 minuten
Voor 1 persoon

- 350 ml water
- 1 kippenbouillonblokje
- 3-4 courgettes
- 30 g magere room

Doe het water en bouillonblokje in een pan en laat het blokje oplossen. Rasp de courgettes met schil en doe ze in de pan. Leg het deksel op de pan en laat het geheel op middelhoog vuur koken. Roer af en toe.

Haal de pan van het vuur, voeg de room toe, breng het geheel op smaak met zout en peper, en pureer alles heel fijn.

Koude courgettecrèmesoep

Voorbereidingstijd: 7 minuten – Bereidingstijd: 8 minuten
Voor 1 persoon

- 2 middelgrote courgettes
- 2 kippenbouillonblokjes
- 250 ml magere yoghurt
- 6 blaadjes vers basilicum, gehakt
- zout en peper

Snijd de courgettes met schil in plakjes. Doe ze in een pan met kokend water met zout en laat ze 8 minuten zachtjes koken.
Breng intussen 200 ml water aan de kook met de bouillonblokjes. Haal de pan van het vuur en zet hem apart. Spoel de courgette af en laat hem uitlekken. Pureer de courgette met de bouillon. Voeg 400 ml ijskoud water en de yoghurt toe. Meng alles goed en voeg nog wat zout en peper toe. Zet de soep in de koelkast.
Serveer de soep extra koud door er ijsblokjes in te doen. Bestrooi hem met versgehakt basilicum.

Desserts

Lentekruidentaart

Voorbereidingstijd: 10 minuten – Bereidingstijd: 30 minuten
Voor 2 personen

- 50 g zuring
- 50 g vers basilicum
- 50 g paardenbloemblad
- 500 g magere hangop
- 1 eetlepel magere melk
- 2 eieren
- 1 snufje kaneelpoeder

Was de kruiden en dep ze droog. Hak ze fijn. Klop de uitgelekte hangop in een kom samen met de magere melk en de eieren tot een gladde massa. Voeg de kruiden, kaneel en zout en peper toe. Schep het mengsel in een taart- of cakevorm.
Zet het geheel 30 minuten in een op 180 °C voorverwarmde oven. Serveer de taart gekoeld of warm.

Eiersneeuw

Voorbereidingstijd: 20 minuten – Bereidingstijd: 10 minuten
Voor 2 personen

- 250 ml magere melk
- 2 eieren
- 1 eetlepel zoetstof om mee te bakken, zoals hermesetas® vloeibaar

Breng de melk aan de kook.
Klop in een kom de eidooiers los en voeg de zoetstof toe. Roer er geleidelijk de kokende melk door. Schenk het mengsel weer in de pan en laat het op laag vuur al roerend met een houten lepel warm worden. Roer ook goed over de bodem. Haal de pan van het vuur zodra het mengsel dik wordt. Laat het niet koken, omdat het dan gaat schiften. Klop de eiwitten stijf. Schep met een eetlepel bolletjes eiwit in een pan

met kokend water en laat ze zwellen. Haal ze met een schuimspaan uit de pan en laat ze uitlekken op een doek.
Laat de vla helemaal afkoelen. Voeg de bolletjes eiwit toe en serveer.

Eieren met melk

Voorbereidingstijd: 10 minuten – Bereidingstijd: 40 minuten
Voor 2 personen

- 500 ml magere melk
- 60 g zoetstof om mee te bakken, zoals hermesetas® vloeibaar
- 1 vanillepeul
- 4 eieren

Snijd de vanillepeul open en haal het zaad eruit. Breng de melk aan de kook samen met de zoetstof en de vanille.
Klop de eieren los in een kom. Haal de vanillepeul uit de melk en giet de warme melk al roerend beetje bij beetje bij de losgeklopte eieren.
Giet het mengsel in een ovenschaal en laat het 40 minuten au bain-marie in een voorverwarmde oven op 220 °C bakken.
Serveer gekoeld.

Sauzen

Sjalotjessaus

Voorbereidingstijd: 10 minuten – Bereidingstijd: 10 minuten
Voor 10 porties

- 12 sjalotjes
- 120 ml azijn
- 13 eetlepels magere melk
- 1 eidooier
- zout en peper

Pel en snipper de sjalotjes en doe ze in een pan samen met de azijn. Laat ze 10 minuten koken.
Haal de pan van het vuur en klop er de melk en de losgeklopte eidooier door. Breng het geheel op smaak met zout en peper. Serveer meteen.

Uiensaus

Voorbereidingstijd: 10 minuten – Bereidingstijd: 2 minuten
Voor 10 porties

- 1 grote ui
- 125 ml groentebouillon
- 1 eidooier
- 30 g magere verse kaas (bijv. petit-suisse)
- 1 eetlepel azijn
- 1 theelepel mosterd
- zout en peper

Pel en snipper de ui.
Verwarm de ui en bouillon 2 minuten in een pan op middelhoog vuur.
Meng het eidooier, de verse kaas, azijn, mosterd en zout en peper. Voeg geleidelijk de afgekoelde bouillon toe en roer alles goed door.
Serveer gekoeld.

Kwarksaus

Voorbereidingstijd: 10 minuten – Bereidingstijd: geen
Voor 2 porties

- 100 g magere kwark
- ½ citroen
- 2 kleine uitjes, gesnipperd
- ½ venkelknol, fijngesneden
- 1 theelepel gehakt basilicum (of peterselie)
- zout en peper

Meng de kwark en het citroensap. Breng het geheel op smaak met zout en peper.
Voeg de gepelde en gesnipperde uitjes, de fijngesneden venkel en het gehakte basilicum toe.
Meng alles goed en zet de saus tot gebruik in de koelkast.

Paprikasaus 1

Voorbereidingstijd: 15 minuten – Bereidingstijd: geen
Voor 2 porties

- 1 rode paprika
- 1 teen knoflook
- ½ ui
- 1 kleine chilipeper
- 1 citroen
- een paar druppels tabasco
- zout en peper

Was de paprika, verwijder de zaadjes en zaadlijsten en snijd het vruchtvlees in dunne reepjes.
Pel de ui en knoflook en snipper ze.
Was de chilipeper en snijd hem fijn; verwijder de zaadjes.
Pers de citroen uit.
Meng alle ingrediënten goed door elkaar, voeg zout en een paar druppels tabasco toe.
Laat de saus voor het serveren een uur staan.

Saffraansaus

Voorbereidingstijd: 2 minuten – Bereidingstijd: geen
Voor 2 porties

- 1 theelepel maizena
- 1 pollepel visbouillon
- 1 snufje saffraan
- zout en peper

Bind de visbouillon op kamertemperatuur met de maizena. Voeg de saffraan toe en breng het geheel op smaak met zout en peper.

Kappertjessaus

Voorbereidingstijd: 10 minuten – Bereidingstijd: 15 minuten
Voor 5 porties

- 2 eetlepels tomatenpuree
- 4 eetlepels magere melk
- 7 kleine augurkjes
- 12 kappertjes
- zout en peper

Meng de melk door de tomatenpuree. Voeg 100 ml water en de gehakte augurkjes toe.
Laat het geheel 15 minuten koken en voeg dan zout, peper en de kappertjes toe.
Serveer meteen.

Spinaziesaus

Voorbereidingstijd: 10 minuten – Bereidingstijd: geen
Voor 4 porties

- 100 g spinazie
- 2 eetlepels magere yoghurt
- 200 ml kippenbouillon
- 1 snufje geraspte nootmuskaat
- zout

Was de spinazie en blancheer hem in kokend water met zout. Laat hem uitlekken en pureer hem.
Voeg de yoghurt toe en roer dan de kippenbouillon erdoor.
Laat het geheel 1 minuut op hoog vuur doorwarmen.
Voeg wat zout en geraspte nootmuskaat toe.

Saus met fijne kruiden

Voorbereidingstijd: 15 minuten – Bereidingstijd: 2 minuten
Voor 2 porties

- 3 takjes peterselie
- 3 snufjes dragon
- 4 sprietjes bieslook
- 2 tenen knoflook, gehakt
- 2 sjalotjes, gehakt
- 2 theelepels maizena
- 2 eetlepels magere kwark
- zout en peper

Hak de kruiden, knoflook en de sjalotjes fijn. Los de maizena op in 100 ml water en voeg de knoflook, sjalotjes en kwark toe.
Verwarm het geheel 2 minuten op laag vuur en voeg op het laatste moment de fijne kruiden toe. Breng het geheel tot slot op smaak met zout en peper.

Béchamelsaus

Voorbereidingstijd: 6 minuten – Bereidingstijd: 4-5 minuten
Voor 4 porties

- 40 g maizena
- 500 ml magere melk
- 1 snufje nootmuskaat
- zout en peper

Klop met een garde geleidelijk de maizena door de koude melk.
Laat het mengsel op laag vuur al roerend met een houten spatel warm worden en binden.
Breng de saus op smaak met zout, peper en nootmuskaat.

Witte saus

Voorbereidingstijd: 15 minuten – Bereidingstijd: 3 minuten
Voor 3 porties

- 250 ml kippenbouillon
- 2 eetlepels magere melk
- 1 eetlepel maizena
- 1 snufje nootmuskaat
- zout en peper

Meng de koude bouillon en de melk en voeg geleidelijk de maizena toe.
Laat het mengsel op laag vuur al roerend met een houten spatel dik worden. Haal de pan van het vuur en breng de saus op smaak met zout, peper en geraspte nootmuskaat.

Chinese saus

Voorbereidingstijd: 15 minuten – Bereidingstijd: geen
Voor 2 porties

- 1 ui
- 1 theelepel azijn
- 1 theelepel mosterd
- 1 snufje gemberpoeder
- 1 citroen
- zout en peper

Snipper de ui. Meng de azijn, mosterd en het gemberpoeder. Voeg al roerend het citroensap en de ui toe.
Breng de saus op smaak met zout en peper.

Bieslook-limoensaus

Voorbereidingstijd: 10 minuten – Bereidingstijd: 5 minuten
Voor 4 porties

- 125 ml magere melk
- 90 g magere crème fraîche
- 4 theelepels maizena
- 1 bosje bieslook, gehakt
- 1 limoen
- 1 eetlepel peperkorrels
- zout

Laat de melk en crème fraîche warm worden in een pannetje en roer het mengsel glad. Voeg naar smaak zout toe en roer de maizena erdoor. Breng het geheel aan de kook.
Voeg het bieslook, het limoensap en zout en de peperkorrels toe en roer de saus goed door.

Citroensaus

Voorbereidingstijd: 10 minuten – Bereidingstijd: geen
Voor 4 porties

- ½ citroen
- 125 g magere yoghurt
- 1 bosje bieslook
- zout en peper

Pers een halve citroen uit en meng het sap door de yoghurt.
Hak het bieslook en roer het door de saus. Breng de saus op smaak met zout en peper.

Kerriesaus

Voorbereidingstijd: 10 minuten – Bereidingstijd: geen
Voor 4 porties

- 1 ei
- ½ ui
- 1 theelepel kerriepoeder
- 125 g magere yoghurt

Kook het ei 6 minuten in kokend water, pel het en haal de dooier eruit. Pel en snipper de ui. Meng de ui door de geprakte eidooier en het kerriepoeder.
Roer er tot slot geleidelijk de yoghurt erdoor.

Paprikasaus 2

Voorbereidingstijd: 15 minuten – Bereidingstijd: 40 minuten
Voor 8 porties

- 4 tomaten
- 1 rode paprika
- 1 gele paprika
- 1 ui
- 1 theelepel zoetstof om mee te bakken
- 100 ml wijnazijn
- 1 snufje paprikapoeder
- zout en peper

Was de tomaten en paprika. Ontvel ze en verwijder de zaadjes. Snijd het vruchtvlees in stukken.
Pel de ui.
Pureer alle ingrediënten.
Zeef de saus en doe hem in een pan.
Leg het deksel op de pan en laat de saus 40 minuten op laag vuur sudderen.

Koude tomatensaus

Voorbereidingstijd: 10 minuten – Bereidingstijd: geen
Voor 6 porties

- 4 verse tomaten
- 100 g magere kwark
- 5 sjalotjes, gepeld en gesnipperd
- het sap van 1 citroen
- zout en peper

Pocheer de tomaten 30 seconden in kokend water en ontvel ze.
Pureer alle ingrediënten. Voeg naar smaak zout en peper toe, en serveer de saus heel koud.

Saus uit de losse pols

Voorbereidingstijd: 10 minuten – Bereidingstijd: geen
Voor 8 porties

- 1 theelepel mosterd
- 1 eetlepel ciderazijn
- 2 eetlepels paraffineolie met dragon
- 250 g magere kwark
- 2 hardgekookte eieren
- 1 sjalotje, gesnipperd
- 3 augurken, fijngehakt
- een paar takjes dragon
- zout en peper

Doe de mosterd, azijn en zout en peper in een kom. Bind de saus met de olie.
Roer de kwark er geleidelijk door en voeg dan de geprakte hardgekookte eieren, het sjalotje, de augurken en dragonblaadjes toe.
Breng het geheel op smaak met zout en peper.

Hollandaisesaus

Voorbereidingstijd: 15 minuten – Bereidingstijd: 5 minuten
Voor 2 porties

- 1 ei
- 1 theelepel mosterd
- 1 eetlepel magere melk
- 1 theelepel citroensap
- zout en peper

Splits het ei.
Doe de eidooier, mosterd en melk in een kom en verwarm het geheel au bain-marie al kloppend tot de saus bindt zonder te schiften. Haal de kom van het vuur en blijf kloppen. Voeg dan het citroensap en de peper toe.
Klop het eiwit stijf en spatel het voorzichtig door de saus.

Lyonnaisesaus

Voorbereidingstijd: 10 minuten – Bereidingstijd: geen
Voor 5 porties

- 1 teen knoflook
- 1 sjalot
- 120 g magere kwark
- 1 eetlepel wijnazijn
- zout en peper

Pel de knoflook en het sjalotje en snipper ze.
Klop de kwark los met de azijn. Breng het geheel op smaak met zout en peper. Voeg de knoflook en het sjalotje toe en klop alles tot een gladde saus.

Mosterdsaus

Voorbereidingstijd: 10 minuten – Bereidingstijd: 5 minuten
Voor 8 porties

- 2 theelepels maizena
- 1 hardgekookte eidooier
- 2 theelepels azijn
- 2 theelepels mosterd
- wat fijne kruiden

Meng de maizena met 200 ml water, verwarm het mengsel en laat het afkoelen.
Prak de azijn en mosterd door de eidooier en roer dit mengsel door de saus.
Voeg tot slot de fijne kruiden en zout en peper toe.
Verdun de saus met azijn als hij nog te dik is.

Portugese saus

Voorbereidingstijd: 10 minuten – Bereidingstijd: 30 minuten
Voor 6 porties

- 8 tomaten
- 6 tenen knoflook, geperst
- 2 middelgrote uien, gesnipperd
- 2 laurierblaadjes
- Provençaalse kruiden
- 1 eetlepel tomatenpuree
- 1 groene paprika, in reepjes
- zout en peper
- chilipoeder

Bak de tomaten samen met de geperste knoflook, gesnipperde ui, laurier en Provençaalse kruiden. Breng het geheel op smaak met zout en peper, en laat het 10 minuten op hoog vuur koken.
Voeg de tomatenpuree en in reepjes gesneden paprika toe, en laat de saus circa 20 minuten inkoken op laag vuur.
Haal de laurierblaadjes uit de pan en pureer de saus.
Voeg naar smaak wat chilipoeder toe.

Register

D

E

F

G

H

I

J

K

L

S

T

U

V

W

Y

Z

Dankbetuiging

Ik wil hier Roland Chotard bedanken, een van de vermaardste chef-koks van Yvelines, die – in ruil voor de 30 kilo die hij kwijtraakte na het lezen van *Het Dukan Dieet* – mij zijn persoonlijke interpretatie van mijn recepten gaf, met een toets van zijn vindingrijkheid, zijn professionaliteit en misschien nog wel meer zijn wens om af te kunnen vallen en toch lekker te kunnen blijven eten.
En ik bedank Gaël Boulet, van de opleiding tot chef-kok bij Ducasse, voor zijn waardevolle tips: hoe je met simpele ingrediënten tongstrelende composities kunt maken en tegelijk de smaak van vet kunt verruilen voor de aroma's van kruiden en specerijen.

Beste lezeressen en lezers,

Een miljoen exemplaren van *Het Dukan Dieet*! Dat moet gevierd worden. Al heel wat jaren circuleert dit boek tussen jullie en mij. Toen kwam jullie verzoek voor *Het Dukan Dieet – recepten*, dat jullie net gelezen hebben. Jullie schenken mij jullie vertrouwen en ik antwoord met aandacht en een helpende hand. Een deel van jullie volgt de methode en haar regels, valt af en blijft op gewicht. Anderen, minder zelfverzekerd, kwetsbaarder en afhankelijker van eten, zouden graag extra begeleid worden, onder de hoede genomen, hebben een hand nodig om vast te houden. Voor hen heb ik het op me genomen een website te ontwikkelen waarop ik eenieder individueel kan coachen, en vooral elk geval interactief en dagelijks kan begeleiden. Voor hen heb ik een voorkeursbehandeling gevraagd en gekregen.

Tot gauw.
Pierre Dukan

Dr. Pierre Dukan
Het
Dukan
Dieet
5 miljoen Europeanen kunnen geen ongelijk hebben!
De Franse oplossing
voor PERMANENT gewichtsverlies

Zou jij ook die extra kilo's kwijt willen raken?
Heb je al meerdere pogingen gedaan om blijvend af te vallen?
Verval je telkens weer in je oude eetgewoonten?

Het Dukan Dieet van dr. Pierre Dukan is de Franse medische oplossing voor permanent gewichtsverlies!

- geen calorieën tellen
- 100 voedingsmiddelen die onbeperkt gegeten mogen worden
- hongerlijden is verleden tijd
- inclusief lunchgerechten die makkelijk mee te nemen zijn
- gebaseerd op de Franse keuken, dus culinair aantrekkelijke maaltijden
- met recepten en weekmenu's

Met *Het Dukan Dieet* val je geleidelijk af in 4 fasen.
Fase 1 is een aanvalsfase die zorgt voor snel gewichtsverlies (3-5 kilo). Deze fase duurt gemiddeld een week en zorgt voor een motiverende start. In fase 2 – de cruisefase – bereik je je streefgewicht door 1 kilo per week af te vallen. In fase 3 – de stabilisatiefase – consolideer je het bereikte gewichtsverlies en voorkom je het jojo-effect dat normaal gesproken optreedt. Fase 4 – de volhardingsfase – is het ultieme doel: permanent gewichtsverlies door het volhouden van een gezond en uitgebalanceerd eetpatroon.

Dr. Pierre Dukan is een Franse arts en voedingsdeskundige en doet al ruim 30 jaar onderzoek naar gezonde voeding. Hij heeft vele publicaties op zijn naam staan. *Het Dukan Dieet* is een wereldwijde bestseller.

www.hetdukandieet.nl

5 miljoen Europeanen kunnen geen ongelijk hebben!

De (internationale) pers over *Het Dukan Dieet*:

'Vergeet calorieën of punten tellen. Na twintig jaar sleutelen heeft de Franse dokter Pierre Dukan de ideale formule gevonden om af te vallen en nooit meer te jojoën.' – *Gazet van Antwerpen*

'Afvallen is geen straf' – *Veronica Magazine*

'Het heldere stappenplan, lekker kunnen blijven eten én het blijvende resultaat zorgen ervoor dat *Het Dukan Dieet* ongekend populair is' – *Privé*

'*Het Dukan Dieet*, dat bekend staat om de smakelijke, gemakkelijke recepten, het verantwoorde tempo en het permanente resultaat, kent wereldwijd inmiddels miljoenen aanhangers. – *wellness.nl*

'Na, Sonja Bakker, South Beach en het Dr. Frankdieet kunnen we ons gaan opmaken voor een nieuwe dieetrage. *Het Dukan Dieet.* Jennifer Lopez en Gisele Bundchen schijnen er hun perfecte body door weten te behouden. Miljoenen Fransen zijn er al mee afgevallen.'– *www.telegraaf.nl/vrouw*

'Heb jij moeite met het volgen van het Dr. Frank dieet, dan zou je kunnen overwegen om over te stappen naar het Dukan dieet. Dit dieet is iets minder omslachtig en past iets beter bij een wat onregelmatige levensstijl.' – *www.drfrankdieet.com*

'Dukan dieet hit onder celebs' – *Grazia (NL)*

'Het ultieme dieet. De Fransen hebben het jarenlang geheim gehouden' – *Daily Mail*

'In no time heb je dat figuurtje dat je altijd wou...' – *Flair.be*

'Het mooiste deel? Je kunt zoveel eten als je wilt en tóch slank blijven!' – *Marie Claire (UK)*

'Volg het Dukan dieet en raak, op amper enkele weken tijd, heel wat kilootjes kwijt.' – *Nieuws.be*

'Door zijn makkelijke dieetformule die gebaseerd is op het eten van eiwitten, vallen duizenden mensen op een natuurlijke en veilige manier af.' *Medicalfacts.nl*